Macha dinho

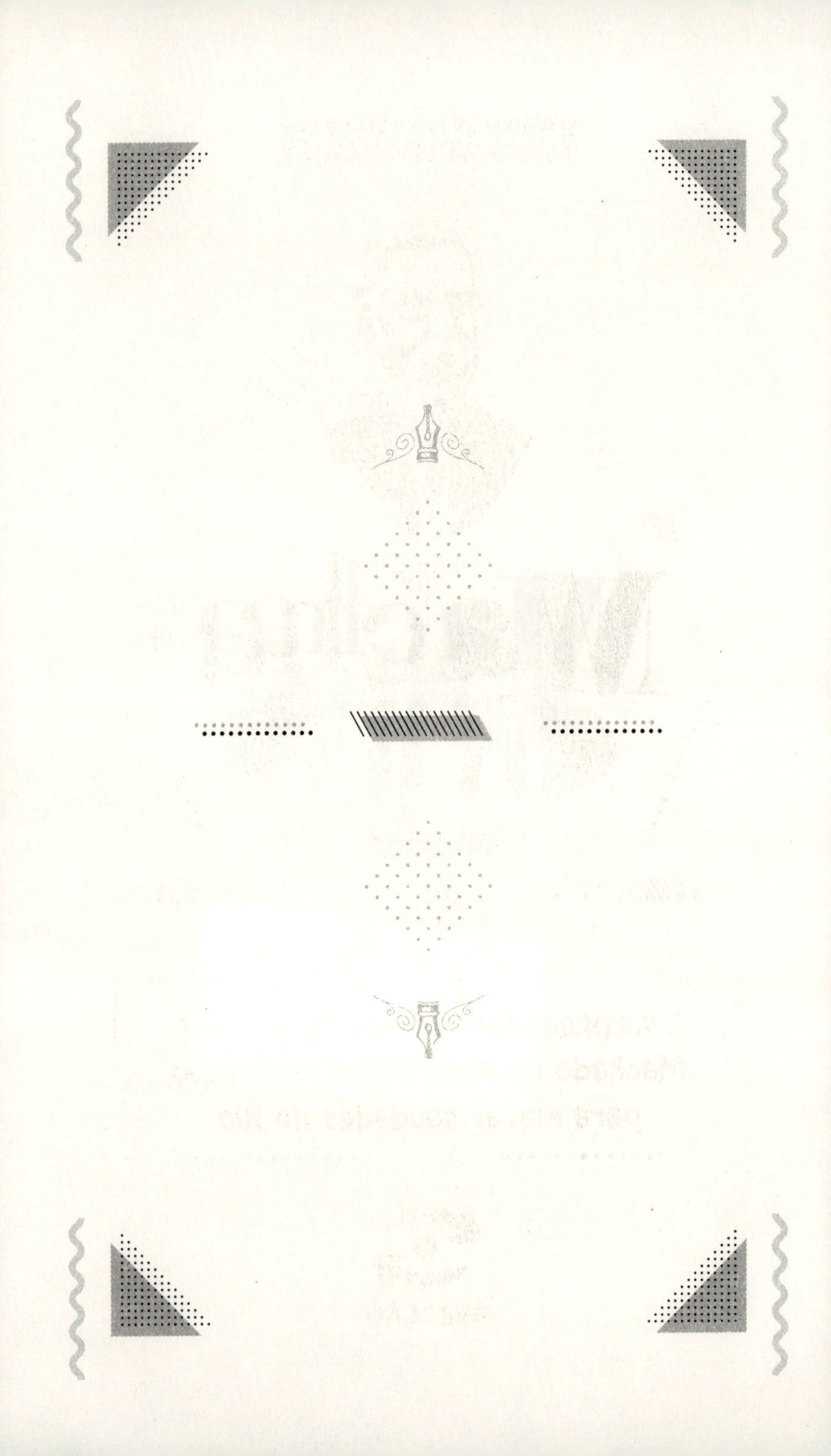

Jeanette Rozsas

A surpreendente história de como Machado de Assis viajou no tempo para matar saudades do Rio

GERAÇÃO

1ª edição — Junho de 2022

Grafia atualizada segundo o Acordo Ortográfico da Língua Portuguesa de 1990, que entrou em vigor no Brasil em 2009.

Publisher
Luiz Fernando Emediato

Editora
Fernanda Emediato

Assistente Editorial
Ana Paula Lou

Capa, Projeto Gráfico e Diagramação
Alan Maia

Consultoria literária
Márcia Lígia Guidim

Consultoria Editorial
Jiro Takahashi

Preparação
Ana Maria Fiorini

Revisão
Nanete Neves

Dados Internacionais de Catalogação na Publicação (CIP) de acordo com ISBD

R893m Rozsas, Jeanette
Machadinho: A surpreendente história de como Machado de Assis viajou no tempo para matar saudades do Rio / Jeanette Rozsas. - São Paulo : Geração Editorial, 2022.
148 p. : 13,5 cmx 20,5cm.

ISBN: 978-65-5647-028-3

1. Literatura brasileira. 2. Romance. I. Título.

CDD 869.89923
2021-2928 CDU 821.134.3(81)-31

Elaborado por Vagner Rodolfo da Silva - CRB-8/9410

Índice para catálogo sistemático:
Literatura brasileira : Romance 869.89923
Literatura brasileira : Romance 821.134.3(81)-31

GERAÇÃO EDITORIAL
Rua João Pereira, 81 — Lapa
CEP: 05074-070 — São Paulo — SP
Telefone: +55 11 3256-4444
E-mail: geracaoeditorial@geracaoeditorial.com.br
www.geracaoeditorial.com.br

Impresso no Brasil
Printed in Brazil

Dedico este livro à
memória de meus pais,
Norman e Lily Shayer

AGRADECIMENTOS

Ao meu marido, Miguel Rozsavolgyi, pelo seu apoio e paciência enquanto eu me isolava, escrevendo este livro.

Aos meus filhos, genro e nora, Victoria, Guilherme, Marcelo e Adriana

Aos netos, que são a alegria da minha vida: João Victor, Rafael e Isabella

Aos meus irmãos, Milton e Bertram, meus mais antigos companheiros nesta vida.

Aos amigos e amigas que leram o texto ainda em elaboração e me incentivaram a prosseguir, com suas críticas e elogios.

À minha consultora literária, Márcia Lígia Guidim que, com sua autoridade, desde logo chancelou meu texto.

Ao meu consultor editorial, Jiro Takahashi, que sempre me orienta, põe ordem na desordem, e faz com que o texto saia mil vezes melhor.

À Juliana Barbosa dos Santos, pela sua competência e incansável colaboração diante deste mistério que é o mundo virtual.

Ao Luiz Fernando Emediato, Fernanda Emediato e Ana Paula Lou, da Geração Editorial, que mais uma vez participaram comigo deste desafio literário.

ÍNDICE

Miragem? Divagação? ... 11

Um passeio pelo Rio de Janeiro ... 19

Foi aqui que nasci ... 29

O passeio continua ... 33

As moradas de Machado de Assis no Rio de Janeiro ... 39

Mais um endereço, a Rua Luís de Gonzaga ... 43

Um hiato: a Rua Matacavalos ... 47

A rua dos Andradas, onde a felicidade começou ... 51

Outra moradia, a Rua Santa Luzia ... 55

Rua da Lapa ... 59

O Largo de São Francisco ... 63

Voltando à Literatura 65
Rua das Laranjeiras 75
Rua do Catete 77
Rua do Cosme Velho, a última moradia 81
Chegando ao final 87
Muito trabalho para chegar ao topo 97
A imprensa 103
Rumo a Academia Brasileira de Letras 107
Uma divagação — O dia a dia de um idílio 111
Um visitante do outro mundo na ABL 121
Mais história da Academia 125
A sala dos poetas românticos 131
Em casa 137
Pequeno dicionário livre 139
Machado de Assis em fotos 148
Aperitivos 156

MIRAGEM? DIVAGAÇÃO

Em pleno meio-dia de mais um tórrido dia de verão, no burburinho da Avenida Presidente Vargas no Rio de Janeiro, chamava a atenção aquele senhor ereto, de baixa estatura, barba bem cuidada, vestido com uma sobrecasaca cinza-escuro e cartola preta. O coitado devia estar fritando de calor. Apoiado numa bengala, ajustava seus óculos de aro fino e olhava para todos os lados com ar de espanto. A mim pareceu que a figura bizarra estivesse perdida, então me aproximei disposta a ajudar.

Apresentei-me e perguntei se ele era de fora da cidade. E, então, ele respondeu:

— Com efeito, senhorita, poderia dizer que sou de fora — e deu um sorriso enigmático.

Olhando melhor o velhinho, notei uma incrível semelhança com Machado de Assis. Miragem? Divagação?

Olhei-o de novo. Na verdade, era incrível a semelhança. Ele devia ser um artista de teatro fazendo uma performance para angariar uns trocados. Logo pararia numa esquina, colocaria a cartola no chão e declamaria algum soneto do Bruxo do Cosme Velho. "Mas que ideia maluca!", pensei, em tempos de tanta falta de cultura. Enquanto me preocupava com o pouco lucro que, sem dúvida, teria no fim do dia, ele exclamou:

— Ora pois, como tudo mudou neste meu Rio de Janeiro! Onde estamos? Acho que não conheço este logradouro.

Entrando no jogo, respondi:

— Estamos na **AVENIDA PRESIDENTE VARGAS.** Mas o Rio não mudou, continua o mesmo de décadas. Nesta cidade, vivemos todos os dias sob um fogo cruzado, infelizmente.

— Como assim? Não estamos em guerra, estamos? A última de que me recordo bem foi a do Paraguai, embora ultimamente minha

©Reprodução

_Avenida Presidente Vargas no século XIX. Projetada no final dos anos 1930, a avenida ficou pronta em 7 de setembro de 1944.

memória ande me traindo. Cousas da idade — disse, e deu um longo suspiro.

Ele estava se divertindo comigo, só podia ser. Resolvi continuar a brincadeira:

— Só me lembro dessa guerra pelos livros de história. Houve outras muito piores, vai dizer que esqueceu também!

Ele se manteve imperturbável. Que ótimo artista!

— Na verdade, o que me parece é que a vida carioca está bem mais buliçosa. Agora, se me dá licença, vou até o Largo de São Francisco para tomar um **TRAMWAY** que me leve até o Real Gabinete Português de Leitura. Ou, quem sabe, irei primeiro até a Confeitaria Colombo, na Rua Gonçalves Dias, para sentar na cadeira costumeira, descansar um pouco e tomar um refresco. O calor está realmente insuportável — e puxou do bolso um enorme lenço branco, alvíssimo, com o qual enxugou a testa.

Por mais engraçado que fosse o jogo, eu tinha compromissos e não podia perder meu tempo com o pretenso Machado de Assis. Estava quase terminando a

_Tramway
Os bondes de tração animal surgiram no Rio de Janeiro em 1856, dando início à ampliação da mobilidade urbana.

Faculdade de Letras e, para o trabalho de conclusão de curso, o temido TCC, eu tinha escolhido como tema os locais onde morara e trabalhara o Bruxo do Cosme Velho. Então, nada melhor do que passar alguns dias no Rio para pesquisar *in loco* a minha tese e, nas horas vagas, aproveitar a praia na companhia de minha prima carioca, que adorava me hospedar. Mas antes de qualquer diversão, eu queria reunir o máximo de dados para o TCC, daí estar em plena Cinelândia, debaixo de um calor de quase 40ºC.

Já ia pensando em me afastar, quando uma freada e um xingamento dos mais cabeludos fizeram com que eu agarrasse meu companheiro pela sobrecasaca e o fizesse voltar à calçada. Não é que o maluco ia atravessar no sinal vermelho, em meio ao trânsito caótico da Avenida Presidente Vargas, uma das mais movimentadas do Rio? E em plena hora do almoço?!

Continuei a segurá-lo até que se reequilibrasse. Meu Deus, o homem era mesmo um doido!

— Obrigado, minha jovem! — falou o pálido sósia de Machado, trêmulo de susto. — Devo-lhe a vida e nem sequer me apresentei. Quanta descortesia a minha! — Estendeu-me a mão. — Joaquim Maria Machado de Assis para servi-la.

Olhei-o bem nos olhos. Ele sustentou o olhar. Havia alguma coisa no modo como me fitava... Só sei que vi honestidade e seriedade. Quem sabe eu não estava ao lado do autor que eu vinha pesquisando? Nossa, seria uma sorte daquelas, essas coisas que só existem nos livros e nos filmes! Mas como não dou as costas ao destino, resolvi ficar mais um pouco e correspondi ao cumprimento, apertando calidamente a mão magra e um tanto escura do meu personagem.

— Um prazer imenso o meu, senhor Machado de Assis. O senhor não imagina a felicidade deste encontro — falei, com jeito brincalhão. — Mas o que está fazendo no Rio de Janeiro?

— Saudade, minha amiga! Uma terrível saudade do Rio e de todos os lugares onde morei e trabalhei, desde o local de meu nascimento até a minha última morada, onde descanso pela eternidade ao lado da minha venerada Carolina.

—Virgem do céu! — murmurei.

Inclinando a cabeça com um jeitinho hesitante, ele falou, gaguejando um pouco:

— Se me der o prazer de acompanhar-me neste meu périplo...

Meu Deus! Acabo de me convencer que é ele mesmo!!! E, se não for, que mal pode haver? Meu projeto em carne e osso. Ou melhor, em pessoa, sem carne nem osso, o que importa?

Quase tasquei-lhe um beijo. Estava prestes a ser ciceroneada nada mais nada menos do que pelo meu herói, meu mestre, o maior escritor brasileiro. Ou será que era só um ator? Deixei de lado o pensamento. Nada de perder tempo com dúvidas que não levavam a nada. Eu estava disposta a entrar nessa aventura até o fim, na companhia de Machado de Assis, fosse verdadeiro ou clonado...

Enquanto isso, ele falava:

— Eu cuidava de encontrar aqui um pouco da vida pacata de antigamente, mas tudo é muito ruidoso. Sem falar das luzes deste poste com três cores que exigem respeito, sob pena de se ficar embaixo das rodas de uma caleça.

E o meu companheiro prosseguia, surpreso com tanta novidade. À vista de um casal que ao nosso lado se beijava, esquecidos do mundo, do trânsito, do calor e das pessoas em volta, comentou:

— As pessoas não se metem mais nos cantos para namorar — observou. — Vejo que beijos e abraços ocorrem em plena luz do dia, o que contraria meus princípios, sem pretender ser moralista.

Olhando em volta, prosseguiu:

— E crianГ§olas ainda. OxalГЎ os costumes nГЈo estejam em crise! A rigor, isso jГЎ vinha acontecendo no meu tempo. Se bem me lembro, cheguei a escrever para meus amigos, ponderando que o Rio jГЎ estava mudando muito, atГ© de costumes.

ApГіs uma pausa, continuou:

— Eu jГЎ nГЈo dou para namoros; os anos levaram-me o poder de seduГ§ГЈo, se Г© que algum dia o tive. A mim, bastou uma sГі amada, a minha eterna Carolina. Na vida tive a dose de amor que se possa desejar. Ora pois, se a felicidade conjugal pode ser comparada Г sorte grande, Carolina e eu a tiramos no bilhete comprado de sociedade. Ainda que nos tenha faltado descendГЄncia, a alegria de filhos a nos fazer companhia, o amor e o companheirismo que compartilhГЎvamos supriram qualquer falta.

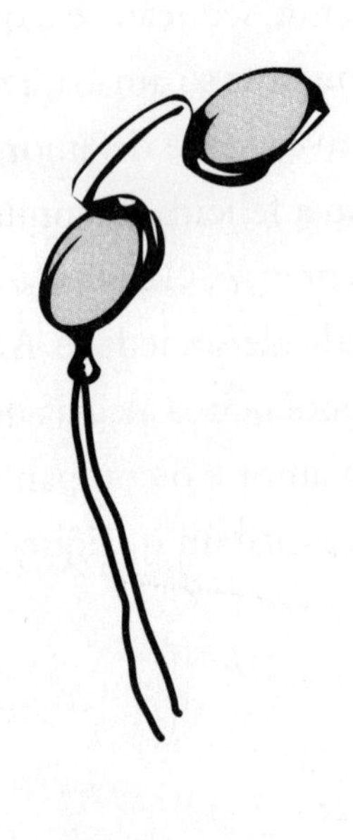

UM PASSEIO PELO RIO DE JANEIRO

Andando sempre ao lado do meu novo conhecido, chegamos à **RUA DO OUVIDOR**.

— É aqui a Rua do Ouvidor? *Parbleu*, ma... ma... mas o que aconteceu com ela? — gaguejou meu amigo.

O movimento era intenso, gente de todo tipo, que ele estranhava com razão, se imaginarmos a época em que viveu, mais de 100 anos atrás.

— Esta Rua do Ouvidor era a gazeta viva do Rio de Janeiro. Aqui se sabia de tudo: moda, amores, mexericos da corte.

_Rua do Ouvidor
A Rua do Ouvidor, localizada no centro do Rio de Janeiro, era muito frequentada por escritores e intelectuais no século XIX, atraídos por suas livrarias e redações de jornais. Ganhou esse nome porque ali residiu Francisco Berquó da Silveira, o Ouvidor-Mor da cidade.

Grupinhos de senhores e até magistrados, vestidos de sobrecasaca e cartola à moda britânica — moda com a qual nunca me simpatizei —, discutiam política, enquanto as senhoras olhavam as vitrines das muitas lojas elegantes e as senhoritas sorriam atrás de seus leques, à procura de algum bom partido. Era a *Vanity Fair* da Metrópole. Para cima e para baixo, da manhã à noite, viam-se personalidades, e a *jeunesse dorée* desfilava sua beleza, exibindo *le dèrnier cris* da moda parisiense.

Percebi que o velhote estava com os olhos no passado. Eu sonhava junto com ele e procurava imaginar como teriam sido aqueles anos, em que tudo parecia ser tão glamoroso. Ele prosseguiu:

— A noite, então, se tornava mais *fashion* ainda, com as luzes acesas, as lojas iluminadas e as pessoas ilustres passeando para cima e para baixo.

Súbito, endireitou-se, pigarreou e decretou:

— Hoje, porém, que lástima! Continua pujante, mas perdeu seu charme.

Após dizer isso, foi-me puxando para os lados do Largo de São Francisco, onde pretendia tomar o tal *tramway* ou um **TÍLBURI.** Foi difícil dizer-lhe que

_Tílburi
Era um carro de duas rodas e dois assentos, com capota e sem boleia, puxado por um só animal. Foi criada na cidade de Londres, no início do séc. XIX e começou a circular no Rio de Janeiro em 1830.

os tílburis havia muito tinham sumido do cenário nacional.

Ouviu em silêncio, e, passados alguns segundos, deu de ombros.

— Que importa! Sempre preferi locomover-me a pé, quando a distância permitia. A cavalo, evitava ao máximo.

Eu também não apreciava nem um pouco. Um ponto em comum entre nós.

— Não gosto do esforço de subir no estribo e fazer a perna passar para o outro lado, a besta se mexendo sem parar.

Respondi-lhe que eu também não gostava de montar a cavalo. Ele prosseguiu:

— E quando, finalmente, cai-se em cima do selim, sem qualquer aviso o animal parte a trote, fazendo com que o coração do cavaleiro bata descompassado. Não. Mil vezes a pé!

Ri da sua descrição, que se encaixava perfeitamente com a minha falta de jeito para a montaria. Era exatamente o que eu sentia, foi o que lhe confessei.

Enquanto andávamos, embalada pelas descrições tão vívidas do meu ilustre amigo, eu continuava a me transportar para a Rua do Ouvidor com todo o seu encanto; ou o Largo de São Francisco, onde os tílburis aguardavam seus elegantes passageiros.

— Como devia ser bonito e interessante o Rio de sua época! — exclamei.

— Nem tudo eram flores, como a senhora há de crer. Nossa cidade era suja; as ruas, estreitas e enlameadas. Havia um andaço de febre por causa da falta de saneamento. Os dejetos eram atirados ao mar, principalmente da Ponte de Santa Luzia, conduzidos em caixotes por negros escravos a quem chamavam de **"TIGRES".** Uma tristeza. A metrópole, tão dotada pela natureza, exalava permanente mau cheiro!

— Não me diga, senhor Machado! Hoje em dia, apesar de termos rede de esgotos, ela não é suficiente e ainda há muitos lugares com esgoto a céu aberto.

Ele hesitou um pouco, até me perguntar:

— O que são esgotos, minha senhora? Seriam as valas de antigamente?

— São canos que passam por debaixo da terra e levam água suja e dejetos até estações de tratamento, onde essa água é tratada e pode voltar aos rios.

— Mas isto é fantástico! Muito me bati em minhas crônicas para que fosse dada atenção ao saneamento, já que

"Tigres"
eram os nomes dados aos escravos, cuja função era carregar nos ombros os barris com excrementos e jogar seu conteúdo fétido nos rios ou no mar, e por isso ficavam com a pele toda queimada e manchada.

as doenças se espalhavam pela cidade em forma de epidemias, causando a morte de muita gente. Imagine que, no Aterro do Beco de Sant'Anna, burros, gatos e cachorros morriam na rua sem que fossem recolhidos. Iam se putrefazendo, e o Poder Público não tomava nenhuma providência. No Beco das Cancelas, por vezes, nem se podia passar, tamanha imundície.

_Oswaldo Gonçalves Cruz foi um médico, bacteriologista, epidemiologista e sanitarista brasileiro. Pioneiro no estudo das moléstias tropicais e da medicina experimental no no Brasil, ele irritou demais a população ao propor uma vacinação em massa, dando origem ao movimento chamado "A Revolta da Vacina, em 1904. O Congresso se manifestou contra e até uma liga anti-vacinação foi organizada.

Meu companheiro parou um pouco para tomar fôlego, enquanto eu pensava nas muitas coisas que ainda não tinham sido resolvidas no Brasil, especialmente no que se refere à saúde pública. Foi isto que comentei com ele:

— Tivemos um bom período sem doenças epidêmicas, especialmente pela ação de um famoso médico chamado **OSWALDO CRUZ.**

— Ora, conheci os feitos do doutor Oswaldo Cruz, como não! Um grande cientista! Conseguiu a duras penas vacinar a população contra a varíola.

Contei-lhe que, hoje em dia, tínhamos vacinas para uma porção de doenças, mas que, com o aumento da população, infraestrutura deficiente, além da falta de consciência do povo, ainda persistiam a febre amarela, a dengue e outros males.

Notei que meu companheiro não prestava mais atenção no que eu dizia. Olhava para o céu, com expressão temerosa.

— O que é esta balbúrdia estrepitante que parece vir do céu e se acerca mais e mais?

Acompanhei seu olhar. Era só um avião que se aproximava, precedido pelo ronco dos motores. Quando chegou ao nosso raio de visão, expliquei:

— O senhor se lembra de Santos Dumont e de seu 14-bis? Ouviu falar dele?

— Claro que sim! Soube das façanhas do senhor Santos Dumont, que, se bem me lembro, pouco depois da virada do século, fez a proeza de **CIRCUNDAR A TORRE EIFFEL,** em Paris, para assombro do mundo.

— Pois bem: esta máquina voadora que está cruzando o céu com todo esse ronco é um avião moderníssimo. Digamos que é bisneto do 14-bis.

©Reprodução

Em 19 de outubro de 1901, Santos Dumont venceu a competição em Paris ao fazer percurso a 22km/h com o balão dirigível que ele mesmo projetou e construiu, dando-lhe o nome de **Santos-Dumont Nº 6**.

Prossegui para um atento ouvinte:

— Estes aviões voam a 10 mil metros de altitude e nos levam de um continente a outro em questão de horas. Moderníssimos e confortáveis, podem transportar até 220 passageiros.

Machado continuava imperturbável. Só a testa enrugada demonstrava sua concentração. Prossegui:

— Graças à indústria aeronáutica, as distâncias se reduziram e o mundo se tornou menor.

— Como assim? — ele quis saber.

— É o que chamamos de globalização. Graças à ciência e à tecnologia, os países de todo o planeta se aproximaram.

— Explique melhor — ele pediu.

Pensei um pouco. Como me fazer entender sobre um conceito cuja nomenclatura era tão atual? Globalização, aldeia global... Então, tive uma ideia.

— O senhor conhece, sem dúvida, a Era das Grandes Navegações, não é verdade?

— Certamente. Deram-se nos séculos XV e XVI e...

Cortei-lhe a palavra antes que meu raciocínio fosse pelos ares:

— Sabia que essas incríveis aventuras foram o início da globalização?

Ele meneou a cabeça sinalizando que não sabia.

— Por meio das grandes viagens marítimas — expliquei —, quando Portugal e outros países da Europa enfrentaram o desconhecido para encontrar novas terras, encontraram também novos povos, novas línguas, novos costumes, novos mercados. O dinheiro girou. Compravam-se e vendiam-se mercadorias para outros locais. O mundo se expandiu.

— Sim, estou a par disso. Foi assim que o Brasil foi descoberto. Mas a tal globalização... a senhora não falou que o mundo se tornou menor?

— Sem dúvida, se considerarmos que aquelas primeiras viagens duravam anos e, hoje, em questão de horas, podemos estar em qualquer ponto do globo terrestre.

— Que cousa mais surpreendente!

Ele só balançava a cabeça, interessadíssimo.

— Essa integração também se deu em vários aspectos, graças ao progresso científico. Hoje estamos conectados a tudo o que vai pelo mundo, seja ciência, cultura, informação, política.

— Não me diga! — admirou-se meu amigo.

— É como se não mais existissem fronteiras entre as nações; exceto pelas físicas, claro! Estas permanecem.

Enquanto ele digeria tantos esclarecimentos, prosseguí:

— Mas não foram só as coisas boas que se integraram. Atividades ilegais, como o tráfico de entorpecentes, e práticas abusivas, como a exploração de mão de obra barata, se espalharam pelo mundo; as guerras ganharam armas muito mais letais e poderosas, a rivalidade dos mercados causou grandes prejuízos às economias mais fracas, e tantos outros problemas que resultaram dessa união.

— Pelo que entendo, o progresso cobra um preço muito alto — ponderou meu amigo. — Mas vamos prosseguir com o nosso passeio. Nestas ruas, em minha época, também víamos cenas tristíssimas: lembro-me de um negro puxado por outro com uma corda ao pescoço, soldados, o juiz que acabara de dar a sentença condenatória e uma multidão de curiosos que seguia o cortejo até o Largo do Moura, onde o negro seria enforcado.

— Que horror, senhor Machado! A escravidão foi mesmo uma mancha em nossa história e na dos demais países que a assumiram. O modo como tratavam os pobres negros... Eram costumes bárbaros, inadmissíveis. Por sorte, foi abolida em todos os países. Sob esse aspecto, o mundo melhorou.

Uma pergunta me ocorreu:

— Senhor Machado, fico me perguntando se estas ruas que o senhor quer visitar ainda existem. Houve muita modificação no traçado urbano nestes quase 200 anos. Houve muita demolição para dar lugar a obras e grandes avenidas, túneis, passarelas e pontes.

— Ora, a isso se deve minha longa viagem até aqui. Quero rever uma a uma, todas as ruas que percorri em minha existência. Vamos ver se estão como as deixei.

FOI AQUI QUE NASCI

A conversa estava tão animada que nem notei que nos afastávamos do centro da cidade. Lá pelas tantas, meu companheiro parou diante do sopé de um morro, onde as favelas subiam até o céu. Quase desmaiei de medo.

— Vamos embora, senhor Machado, esta é uma região perigosíssima; aqui há tiros, traficantes, polícia, bala perdida, um verdadeiro horror! Tem até atirador de elite…

— Minha amiga, perdão dizer, mas acho que está exagerando. Pois foi aqui, no **MORRO DO LIVRAMENTO,** que

_O Morro do Livramento fica na Gamboa, na Zona Portuária do Rio de Janeiro, entre os Morros da Conceição e da Providência. Ele começou a ser habitado antes até da construção da Capela do Livramento, concluída em 1670. A seta, à direita no alto da foto, aponta a casa em que o escritor teria nascido, em 1839.

©Reprodução

nasci numa belíssima chácara de propriedade de minha madrinha, a senhora dona Maria José de Mendonça Barroso. Aqui trabalhavam e se conheceram meus pais; aqui se casaram também. Tenho doces recordações da infância que vivi neste local.

Eu, porém, cada vez mais aflita:

— Suas recordações são tocantes, mas o senhor não vê que as chácaras se foram e que estamos cercados por casebres? Claro que aqui moram boas pessoas, mas mesmo assim sinto muito medo por causa do que leio nos jornais.

— Não aqui embaixo, minha cara. Veja estes prédios aqui ao pé do morro.

Ele parecia em transe. Acho que nem me ouvia.

— Aqui aprendi as primeiras letras, em casa. Meus pais, cousa não muito comum para a época, eram alfabetizados. Meu pai assinava o **ALMANAK LAEMMERT,** uma publicação da corte, que eu tentava ler mal chegava à nossa casa.

Enquanto ele me dava essas informações, eu olhava para os lados, preocupada.

_O Almanaque Laemmert era o nome popular do *Almanak Administrativo, Mercantil e Industrial do Rio de Janeiro*. Editado entre 1844 e 1889 pelos irmãos Eduard e Henrich Laemmert, é considerado o primeiro almanaque publicado no Brasil.

Tentei tirá-lo de lá, gentilmente segurando seu cotovelo, mas meu companheiro estacou. Vi que não pretendia se mover tão cedo e insisti:

— Senhor Machado, o perigo é imenso, vamos embora!

Ele nem se alterou. Como fazê-lo entender?

— Neste mesmíssimo lugar ficava a Rua do Novo Livramento. Minha mãe, Maria Leopoldina, era portuguesa dos Açores. Veio para o Brasil criança ainda. Tornou-se uma habilidosa rendeira e bordadeira, cujos trabalhos eram mui apreciados...

Tentei puxar-lhe pelo braço, mas ele fez pé firme. O mestre não tinha a mínima ideia do que acontecia nos morros do Rio — pelo menos, era o que a imprensa nos torpedeava todos os dias.

— ... e, em troca de seus serviços, morava na casa como agregada. Conheceu meu pai, que viera fazer trabalhos de pintura artesanal nas paredes e douração de móveis na chácara.

— Que interessante! Vou querer saber tudo isso e muito mais, mas longe daqui...

Machado nem me ouviu.

— Ele era neto de escravos alforriados. Casaram-se sob as bênçãos de dona Maria José, na capelinha da chácara. Quando nasci, deu-lhes a honra de batizar-me.

— Meu amigo, o senhor não imagina o quanto quero saber mais sobre sua infância, sua família, sua formação. Só que não aqui. Vamos embora, pelo amor de Deus, senhor Machado!

—Vejo que a senhora está aborrecida neste lugar. Então vamos embora. Vou-me pela sua imensa gentileza e não por amor a Deus, porque sempre fui ateu, inclusive, na hora da morte, recusei que chamassem o padre. E mesmo porque noto que nossa casa, a de número 131, não mais existe...

De fato, no local havia um edifício industrial e um portão de garagem. Nem sombra da casa onde nasceu o escritor que tanto conhecemos nos livros.

Era verdade também o seu profundo ateísmo. Eu já tinha lido em algum lugar que Machado resistira a encomendar sua alma, diferentemente de muitos ateus que, sentindo o fim se aproximar, clamam por Deus e pedem um lugar ao lado de Jesus e a proteção da Virgem Maria na viagem final. Eta velhinho fiel às suas ideias!

O PASSEIO CONTINUA

Continuamos a andar e, quando vi, estávamos de volta ao Largo de São Francisco, já distantes do Morro do Livramento. Não que no Rio de hoje isso fosse alguma garantia de segurança, enfim... Dali, prosseguimos até chegarmos a um local que eu não conhecia.

— Desculpe-me se não sigo um caminho de acordo com a topografia — disse ele. — Prefiro saltitar como um canário na gaiola, de um poleiro para o outro.

Reconheci na hora o lindo conto, um dos meus preferidos: "Ideias de um canário". Quase bati palmas!

— Afinal — continuou —, estamos passeando, sem compromissos pela frente, não é mesmo?

Ri por dentro. Em nenhum minuto Machadinho me perguntara se eu estava livre ou não. Claro que eu estava, e, mesmo que não estivesse... Para andar com o poeta e assim realizar meu TCC, eu daria um jeito de ter todo o tempo do mundo. Mestre e projeto juntos era como matar dois coelhos com uma só cajadada. Ou, de forma mais gentil, juntar o útil ao agradabilíssimo.

— Aqui, minha amiga, ficava o Rossio Grande, onde se comemorou a proclamação da República, com a Noite das Luminárias.

— Sim, sim — exclamei, interrompendo meu interlocutor. — Foi nessa noite que Brás Cubas se apaixonou pela primeira vez, e...

— Como a senhora sabe disso? — atalhou o velhinho, a testa tão franzida que quase desestabilizou seu **PINCE-NEZ.**

Foi a minha vez de demonstrar espanto.

— Como assim, mestre? Então o senhor não se lembra de que suas obras foram sempre muito lidas, de que o senhor criou e presidiu a Academia Brasileira de Letras?

_Pince-nez
Óculos sem hastes nas laterais, apoiado no nariz e às vezes reforçado por uma corrente presa na lapela.

— Bem, isso foi no meu tempo. Mas a senhora conhecer alguma coisa que escrevi, e ainda mais o meu Brás Cubas?!...

— Quem não conhece *Memórias póstumas de Brás Cubas*?! — exclamei. — Esse livro foi o divisor de águas entre o romantismo e o realismo. Um livro inovador, cheio de independência, liberdade, atrevimento e ironia. O senhor inventou um narrador que já está morto e que escreve suas memórias, ironizando a si mesmo enquanto vai-nos contando a sua vida, às vezes de um jeito poético, outras com muito humor. E ainda aproveita para criticar a sociedade em que viveu.

_Realismo no Brasil
Movimento artístico do final do século XIX que se contrapôs ao estilo anterior, o Romantismo, e se iniciou com a publicação do romance Memórias póstumas de Brás Cubas. Atenção: itálico em Memórias Póstumas de Brás Cubas.

Parei para tomar fôlego e continuei:

— O senhor, quer dizer, o defunto-narrador diz que escreveu "com a pena da galhofa e da melancolia". E a dedicatória, então: "Ao verme que primeiro roeu as carnes do meu cadáver dedico como saudosa lembrança estas Memórias Póstumas". Quer coisa mais inovadora, sensacional, magistral. Só o senhor mesmo, Mestre. Com essas *Memórias Póstumas* começou o **REALISMO NO BRASIL.**

Eu não conseguia me conter. Meu amigo ouvia toda essa explosão, acenando com a cabeça afirmativamente.

— Obrigado pelas palavras, minha jovem. Eu andava adoentado, com sério problema na vista e fui com Carolina para Friburgo, se não me engano, em 1880, as primeiras férias de minha vida. Lá, comecei a escrever o romance.Vou contar-lhe em confidência que fui um homem bastante achacado por diversas doenças. Além da epilepsia, que me prostrava, eu gaguejava, e, na busca de disfarçar essa deficiência, era-me exigido um esforço quase sobre-humano. Tive um ataque epiléptico logo após nosso casamento, dando um grande susto na pobre Carolina.

Contou-me que, por causa das doenças, que se manifestaram quando ainda era bem pequeno, teve uma infância complicada sob o ponto de vista da saúde. No mais, foi feliz, ao menos até perder a mãe, aos 10 anos, que ele idolatrava.

— Acresça-se a falta de dinheiro. Não pude frequentar escola, aprendi tudo o que sei à custa de muito esforço e também graças à curiosidade. O bê-a-bá meus pais me ensinaram, especialmente minha mãe. Ela e um padre. Depois, passei a frequentar a chácara de minha madrinha, onde vivi com pessoas instruídas.

— Com certeza, o senhor aprendeu muito naquele ambiente.

— Sem dúvida! Eu era uma criança quieta, mas não deixava escapar nada do que diziam. Os assuntos sempre me interessavam. E aquele almanaque de que já lhe falei... Eu, um garotinho ainda nem alfabetizado, tentava desvendar o que escondiam aquelas palavras que me fascinavam.

— Que maravilha, senhor Machado! Desde pequeno, mostrava genialidade, seu futuro prometia. Um menino sem recursos, órfão desde cedo, chegar aonde chegou...

Ele considerou o que eu disse e, com ar um tanto melancólico, prosseguiu:

— De fato, acho que posso dizer que me saí bem na vida. Fui bem-aceito nos círculos sociais e intelectuais, minha carreira literária foi exitosa, e, sobretudo, casei-me com a mulher dos meus sonhos. Éramos muito felizes.

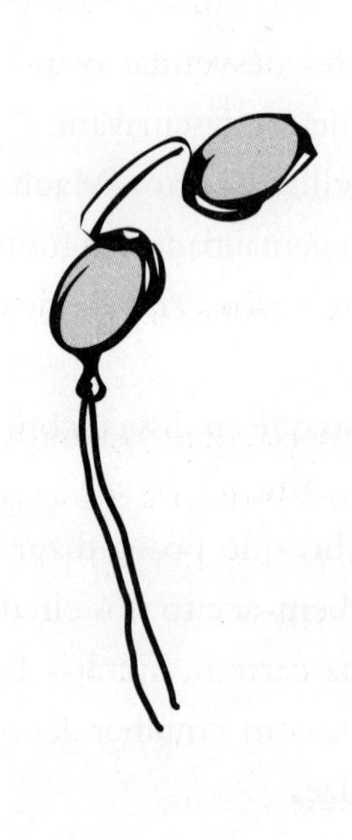

AS MORADAS DE MACHADO DE ASSIS NO RIO DE JANEIRO

— Quer conhecer os outros lugares onde residi?

Claro que eu queria, nem precisava responder.

— Então, vamos! Todos estes locais me trazem muitas memórias e me fazem reviver o passado. Mas, antes, vamos descansar um pouco. Se eu dispusesse de mais tempo, voltaríamos a nos encontrar amanhã. Infelizmente, não será possível.

Sentamo-nos num banco.

— Pena mesmo! — concordei. — Adoraria passar mais uma tarde em sua companhia.

— Sinto muito, minha cara! Compromissos inadiáveis me aguardam.

Eu precisava aproveitar a companhia desse gênio. Nem eu mesma acreditava em tanta sorte. Teria que guardar na memória tudo o que ele me contava, até que pudesse salvar no computador. Então, perguntei:

— Mestre, enquanto descansamos, conte um pouco da sua infância.

Eu estava realmente curiosa para saber como tinha sido a vida do menino Joaquim Maria. O meu TCC ia ficar fantástico com a pesquisa sendo feita ao lado do biografado. Mesmo que não pudesse declarar a fonte... Já me sentia quase uma *expert* em Machado de Assis.

— Bem, você conheceu onde nasci, ao pé do Morro do Livramento. Vivi na nossa casinha da Rua do Novo Livramento por alguns anos, a maioria deles felizes, outros de muita tristeza. Quando contava dois anos, tive uma irmãzinha, Maria, mas ela nos foi levada, coitadinha. Estava com quatro anos quando pegou sarampo, que grassava por causa das péssimas condições de higiene, como também já comentei.

— Não me diga! Seus pais devem ter ficado arrasados.

— Sem dúvida! E meses depois partiu minha madrinha, acometida pela mesma doença. Eu procurava ajudar em casa, tocando sino numa igreja perto da Praça da Constituição, onde fui coroinha. Ganhava alguns vinténs, os quais passava aos meus pais. Éramos pobres, mas devo dizer que nunca nos faltou comida à mesa, e eu ganhava os deliciosos rebuçados de que tanto gostava.

Eu me condoí ao ouvir a história que meu amigo contava. A mortalidade infantil era comum naquele tempo. Machado devia até ter tido boa saúde, já que não pegou nenhuma das doenças epidêmicas. Só consegui dizer:

— Vejo que não foi nada fácil a sua infância.

— No entanto, o pior estava por vir. A primeira grande dor, talvez a maior delas, chegou-me aos 10 anos: minha amada mãe, a quem eu era tão apegado, morreu de tuberculose. A vida de súbito tornou-se triste e cinza.

Nisso, o senhorzinho ao meu lado procurou esconder a emoção. Senti que uma tristeza imensa tomou conta dele. Eu não encontrava palavras de conforto; afinal, ele e todos os que o cercavam já tinham partido deste mundo havia muito tempo. "Será que a dor da perda não passa nunca?!", pensei comigo mesma. Ele se recompôs depressa.

— Não adianta lamentarmos as dores do passado. Vamos andar mais um pouco.

Fomos caminhando em silêncio, até que ele afirmou:

— Ah, aqui estamos. Em **SÃO CRISTÓVÃO,** conhece?

Falei que não conhecia quase nada do Rio. Tinha, sim, apenas ouvido falar do bairro.

©Reprodução

_São Cristóvão

é um bairro tradicional do Rio de Janeiro. Em 1803 foi construído um casarão ali e anos depois D. João VI transformou-o no Palácio Imperial, residência da família real. O edifício, depois transformado no Museu Nacional, pegou fogo em 2018 e, desde então, vem sendo reconstruído.

MAIS UM ENDEREÇO, A RUA LUÍS DE GONZAGA

— Mudei com meu pai para a Rua Luís de Gonzaga. Hum, deixe-me ver se me acode o número. Isto mesmo: número 48, sem dúvida! De lá era preciso tomar a barca que ligava São Cristóvão ao centro do Rio de Janeiro. Eu fazia quase todos os dias esse trajeto e aproveitava para ler.

— Quantos anos o senhor tinha?

— Por volta de 13, isso mesmo. Enquanto os outros meninos iam à escola, eu aproveitava todo e qualquer tempo livre para ler, e o percurso de ida e volta na barca me proporcionava esse prazer. Nessa época, meu pai decidiu se casar novamente. Dona Maria Inês, minha madrasta, era boa doceira e trabalhava como tal no Colégio das Menezes. Essas senhoras vendiam os doces que minha madrasta fazia. Foi esse dom que nos salvou da pobreza total, porque a mão cruel do destino mais uma vez se abateu sobre mim. Meu pai faleceu pouco depois de se casar.

— Pobre menino! — exclamei, realmente comovida com a orfandade do pequeno Machado.

— Mas a vida continuou. Ajudei minha madrasta entregando os doces que fazia, e, com isso, abriram-se para mim algumas portas de um mundo que eu viria a conhecer mais tarde.

Com essas palavras, ele me dava um exemplo vivo de como fazer de um limão uma limonada. Contou-me que vendia os doces no Colégio das Menezes e, dessa forma, pôde assistir a algumas aulas, o que seria de muita valia no futuro, na descrição da escola na sua obra.

Por essa mesma razão, também teve contato com as crianças ricas, que desfrutavam de tudo o que ele não tinha. Tal fato despertou-lhe não a inveja ou mesmo a revolta com as injustiças da vida, como seria de se esperar, mas sim uma determinação férrea de vencer. Um ser superior, sem dúvida, um iluminado. Fiquei com vergonha de mim, que nem o projeto sobre a vida do autor tinha começado a redigir.

Precisou que ele voltasse à Terra e me guiasse pelos seus caminhos, passo a passo.

Ele prosseguiu:

— Tudo isso eu fazia, sem deixar de ler a cada tempo que sobrasse durante o dia. Uma coisa ótima que me aconteceu, também, foi ter conhecido o padeiro Gallot, um francês dono de padaria, cuja casa passei a frequentar e que se dispôs a me dar aulas de francês. Foi assim que aprendi o sonoro idioma de **VOLTAIRE, DE VICTOR HUGO** e de tantos mestres da literatura e da filosofia em cuja obra mais tarde bebi.

"Poxa!", pensei, "e falam de super-heróis no cinema e na televisão hoje em dia! Por que não ensinam a vida deste monstro sagrado?" Imaginei meu acompanhante, magrelo e baixinho, vestido de *collant* e capa, no peito um vistoso "M. de A".

A ideia era tão maluca que tive de segurar a risada. Ainda bem que ele olhava para o outro lado, procurando alguma coisa.

E o nosso passeio em busca dos endereços continuava.

_Victor-Marie Hugo (1802-1885) foi um romancista, poeta, dramaturgo, ensaísta, artista, estadista e ativista pelos direitos humanos francês de grande atuação política em seu país. Antes dele, VOLTAIRE, pseudônimo de François-Marie Arouet (1694-1778), foi um escritor, ensaísta, deísta e filósofo iluminista francês.

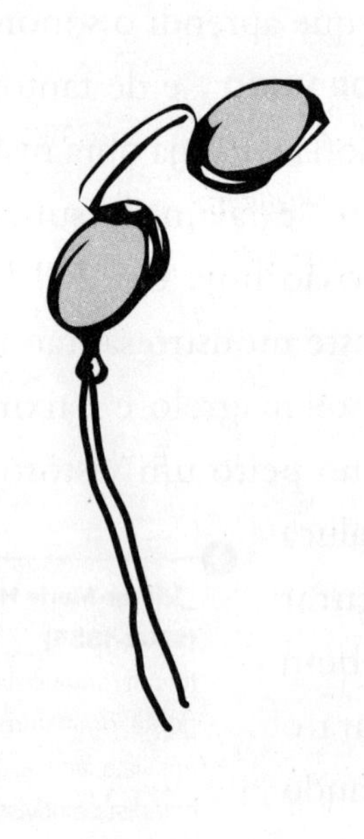

UM HIATO: A RUA DE MATACAVALOS

— Ah, chegamos à minha juventude. Nesta rua, **MATACAVALOS,** dividi moradia com meu amigo Ramos Paz, assim que minha situação financeira permitiu.

Dei um risinho.

— O que foi? — quis saber ele, a quem nada escapava. Um cronista de primeira!

— É que na Rua de Matacavalos, bem, a casinha na qual Brás Cubas passou tantas tardes de paixão com Virgília, com a conivência de Dona Plácida…

— Não, não. A senhora está enganada! Está se referindo ao Bairro de Matacavalos, na Gamboa,

_Rua de Matacavalos (rebatizada depois de Rua Riachuelo), em Santa Tereza, tinha esse nome por ser cheia de barrancos que cansavam os animais, provocando muitas vezes lesões que os levavam ao sacrifício.

onde os amantes se encontravam. Bem longe daqui. Na minha obra, a Rua de Matacavalos era onde ficava a residência da família de Bentinho.

Bati com a mão na testa. Que confusão eu tinha feito! Tentei me justificar, dizendo que não conhecia o Rio, só que o fora já estava dado.

— Mas Dom Casmurro, no fim da vida, mandou construir uma casa no Engenho Novo, igual à de Matacavalos, estou certa desta vez?

— Com a breca! A senhora conhece mesmo a história do meu Casmurro.

Toda feliz, acrescentei:

— Sim, conheço bem. Capitu, Bentinho, Dona Glória, José Dias, a prima Justina, tio Cosme. É um lindo romance, muito lido e estudado até hoje. E *Memórias Póstumas de Brás Cubas*, então? Uma quebra de paradigma na literatura! Onde já se viu um morto escrever suas memórias?

Mal pronunciei essas palavras e vi que tinha cometido outra gafe. Afinal, eu estava ao lado de alguém que já tinha partido desta vida havia muito tempo. Melhor seria fazer de conta que nada tinha acontecido e prosseguir. Foi o que fiz:

— O Lobo Neves, o Cotrim, a Sabina, o Quincas Borba, todos os que orbitaram em torno de Brás. Os

personagens de seus romances me parecem pessoas reais, que conheci.

Notei que ele gostou do meu comentário.

— Acho que podemos prosseguir. A senhora não está cansada de percorrer tantos endereços?

Respondi de pronto que não; pelo contrário, sentia-me privilegiada e pensei que na companhia de Machado, o tempo e as distâncias pareciam não existir.

Ele anunciou, então, que visitaríamos os quatro lares onde morou com a sua adorada esposa.

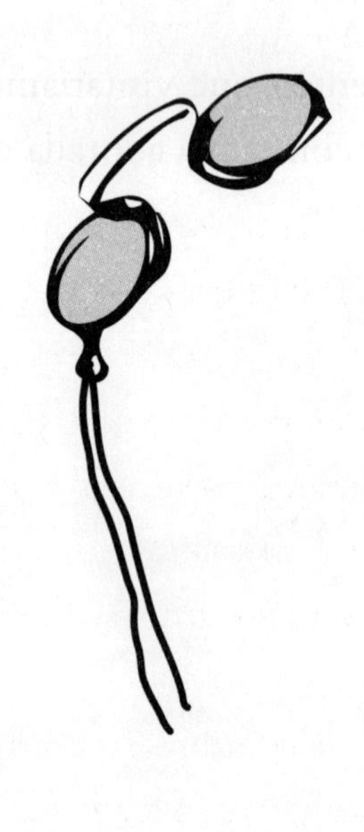

A RUA DOS ANDRADAS, ONDE A FELICIDADE COMEÇOU

— Estamos diante do local que foi o nosso primeiro lar. Vou mostrar-lhe nossa casa. É a de número 119.

Depois de andar para cima e para baixo na calçada, constatou que inexistia o número que procurava; notou, porém, que a edificação de número 147 poderia ter sido a sua. Pelo menos a fachada era igual.

— Era esta! — exclamou meu companheiro. — Veja estes arcos que permanecem na fachada, e o segundo pavimento, com as venezianas, as esquadrias de madeira e o balcão, de onde Carolina e eu apreciávamos o movimento da rua. Casamo-nos em 1869, e a felicidade começou neste endereço.

Aproximou-se do sobrado. Era, sim, da época em que ali moraram, mas não podia garantir que fosse aquela a sua residência ou se pertencia a um correr de casas geminadas. Num impulso, peguei meu celular na bolsa e consultei o "professor" Google. Verifiquei que, do local exato onde morara o casal, de acordo com um levantamento feito pelo Patrimônio Cultural do Rio de Janeiro, só restara a fachada.

Quando ele viu meu celular, logo se interessou. Quis saber o que era a "engenhoca", como funcionava, mas desconversei a fim de não atrapalhar nosso passeio. Conformou-se em ter visto ao menos a fachada e, com um suspiro, disse:

— O número 119 não existe mais. Só ficou na lembrança.

Aborrecido, puxou-me pelo braço:

— Vamos embora — sugeriu.

Continuamos o percurso. Eu me sentia uma peregrina, fazendo romaria com o meu ídolo a locais sagrados. O tempo passava sem que eu me desse conta. O velhote era mesmo um bruxo: o Bruxo do Cosme Velho, como bem mais tarde seria consagrado por Carlos Drummond de Andrade em um poema.

Contei-lhe a história, o apelido e narrei um trecho do poema:

"Em certa casa da Rua Cosme Velho
(que se abre no vazio)
venho visitar-te; e me recebes
na sala trajestada com simplicidade
onde pensamentos idos e vividos
perdem o amarelo
de novo interrogando o céu e a noite."

— Eu, o Bruxo do Cosme Velho?! Valha-me! Então foi o bairro que me deu a alcunha?!

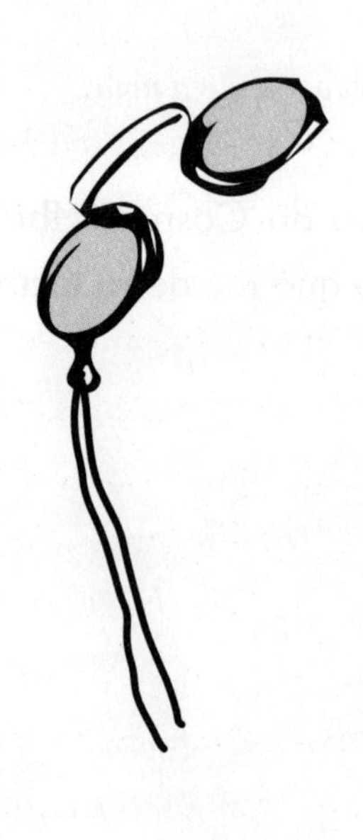

OUTRA MORADIA, A RUA SANTA LUZIA

— Aqui estamos, minha cara, nesta rua, que foi meu segundo lar com Carolina. Mudamos para o segundo andar do número 54 em 1871. Naquela época, eu era ajudante do diretor do *Diário Oficial*, não muito bem remunerado. Mas, para Carolina, estava tudo bem. Que esposa maravilhosa eu tive!

Eu quis saber como eles tinham se conhecido.

— É uma longa história. Ela veio da cidade do Porto, em Portugal, para cuidar de seu irmão, meu amigo e poeta Faustino Novaes. Bastou vê-la para saber que se tratava da mulher com quem eu queria dividir minha vida.

Fez uma pausa.

— Vamos procurar o número. Ajude-me a buscar, pois você tem a vista mais jovem do que a minha.

Buscamos e não encontramos. Mais uma vez, Machadinho me surpreendeu.

— Consulte novamente aquela engenhoca que sabe muita cousa. Vejamos o que ela nos diz.

Como era rápido aquele espírito! Já mandava até consultar o Google, sem demasiado espanto com a inovação, apesar dos muitos anos que o separavam dela. Fui ver no Google Maps, e logo veio a resposta. Mostrei-lhe a tela:

— Aqui está, Mestre! O imóvel não existe mais, e em seu lugar está o **TRIBUNAL DE CONTAS DO MUNICÍPIO** do Rio de Janeiro. É aquele prédio grande que o senhor está vendo.

— Com os diabos! — respondeu agastado. — Não percebo mais nada nesta trama complicada de ruas, prédios altíssimos e automóveis. Pensar que achávamos as charretes perigosas! Quase nada restou do meu tempo, que já vai longe.

_O que faz o Tribunal de Contas do Município?

São funções desse órgão: apreciar as contas prestadas pelo Prefeito, julgar as contas dos administradores dos recursos públicos, fiscalizar os atos de gestão da receita e despesas públicas, emitir pareceres sobre empréstimos e operações de crédito realizados pelo município, dentre outros.

Balançou a cabeça em franca reprovação e continuou.

— Mas vamos andar mais um pouquinho enquanto lhe conto a nossa história. Carolina e eu nos casamos em 12 de novembro de 1869, depois de dois anos entre namoro e noivado, um dia inesquecível. Ainda mais depois da oposição inicial da família dela. A cerimônia foi no oratório da propriedade do conde de São Mamede, que casava, no mesmo dia, sua filha Joaninha.

Como Machado já era benquisto! Frequentava as classes sociais mais altas com naturalidade. Contou-me que a condessa de São Mamede intercedeu pelo seu namoro com Carolina, e assim, finalmente, realizaram o seu sonho.

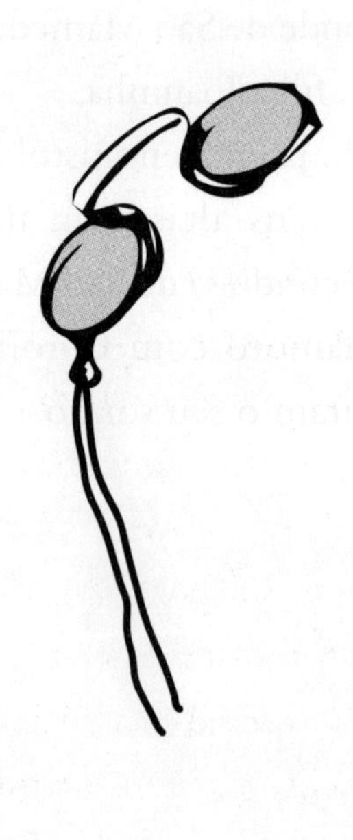

RUA DA LAPA

Nosso próximo endereço era a Rua da Lapa, no número 96. Eu torcia para que o imóvel, terceira casa onde morou com Carolina, ainda estivesse de pé. E tocamos a procurar a rua, enquanto Machadinho continuava a falar de seu amor:

— Éramos um casal perfeito. Enquanto eu trabalhava, atendia a todos os meus compromissos e, acima de tudo, escrevia, ela ordeira e caseira como eu, passava a limpo meus originais, sugeria algumas alterações e uma ou outra correção gramatical. Adaptou-se muito bem aos meus hábitos rotineiros. Ah, eis a Rua da Lapa! Será este prédio? Moramos no segundo andar.

Havia lá uma edificação de dois pavimentos sobre um porão alto. O número não coincidia, mas podia ser questão de renumeração. Parecia antiga. Cruzei os dedos para que fosse a casa que ele buscava. Ele se aproximou, olhou uma, duas, três vezes, até exclamar:

— Qual o quê! Esta casa não guarda nenhuma semelhança com aquela em que moramos.

— Certeza, Mestre? Quer que eu olhe no meu celular?

— Não há necessidade, tenho certeza. Não havia este frontão, nem os elementos decorativos. A menos que tenham feito seguidas reformas. Ou que minha memória ande muito falha. Vamos embora.

Enroscou o braço no meu e nos pusemos a caminhar. Estranhei aquele gesto afetuoso, sabendo quão discreto era o velho Machado.

— Ah, que calor sufocante! — reclamou meu amigo. — Sempre afirmei que não nasci para estes estios do verão. Quem me quiser, terá que gostar do inverno.

Mais uma vez, enxugou a testa com seu lenço branco, tirado do colete, e continuou a falar:

— Quando Carolina se foi, com ela partiu a melhor parte de minha vida. Passei a viver só, mas a solidão não me era enfadonha, porque era um modo de viver com Carolina, ouvi-la, assistir aos

mil cuidados que essa companheira de 35 anos de casados tinha para comigo.

Com a voz embargada, prosseguiu:

— Nós vivemos um duo ternissimo na vida.

Ele se recobrou depressa:

— Desculpe-me o desabafo, minha cara! Espero não lhe estar maçando com minha melancolia.

Se algum resquício de dúvida restara até aqui de que aquele ao meu lado era mesmo Machado de Assis, sua emoção ao falar da amada me convenceu de vez que eu tirara a Mega-Sena acumulada.

Conforme nos afastávamos da **RUA DA LAPA,** ele falou:

— Tenho de confessar que alguma cousa, no entanto, melhorou muito.

— O quê, Mestre? — perguntei, curiosa.

— O calçamento e a limpeza pública. No meu tempo, as ruas eram enlameadas e, quando chovia, ficavam um lamaçal até que o sol as secasse.

— Não me diga! E os poderes públicos não faziam nada para melhorar essa situação?

_Arcos da Lapa

Planejados desde 1600, foram construídos entre 1723 e 1744, como um aqueduto para tentar resolver a falta de água no Rio de Janeiro. Aqui uma pintura desses arcos datada de 1820, com as ruas ainda de terra.

© Richard Bate (1775-1856)

— Qual o quê! A Câmara Municipal nunca tomava providências. Vivíamos no meio de um depósito de pestes, como cansei de alertar as autoridades por meio de minhas crônicas nos jornais. Pelo que vejo hoje, ainda que a limpeza deixe a desejar, ao menos não se veem dejetos orgânicos espalhados nas ruas. No meu tempo, eram despejados em qualquer lugar. O Rio de Janeiro, apesar de capital do Império e depois da República, cheirava mal.

— Mas a beleza estonteante da paisagem não mudou, não é? Eu, que sou paulistana, cada vez que venho ao Rio fico deslumbrada. A Baía de Guanabara é considerada um dos locais mais lindos do mundo.

Machadinho deu de ombros:

— A tantos quantos mostrei o Rio de Janeiro, mal olhavam as igrejas, as fortalezas, os casarões, as ruas. Só queriam saber das belezas naturais. Isso me deixava agastado. Na verdade, sempre me interessou não a natureza, mas sim o homem.

O LARGO DE SÃO FRANCISCO

— Ah, retornamos ao Largo de São Francisco! Como já lhe contei, era aqui que paravam os carros de aluguel e os bondes. Pegava-se um tílburi e ia-se até Botafogo em cerca de 15 minutos. Este largo era o salão de baile dos tílburis, que atrapalhavam quem passava a pé ou a cavalo. Nada que se comparasse, no entanto, a estes veículos modernos que por pouco não nos atropelam nesta babel que virou a cidade.

— Na sua época, como faziam para circular se as ruas não tinham bons calçamentos?

— Nem queira imaginar, minha amiga! Sacolejavam pelos caminhos, não sei hoje em dia como é dentro desses bólidos que passam por nós, barulhentos e perigosos. Mas tanto os tílburis como até mesmo as caleças nos deixavam cansados ao fim do passeio. O pior é que os cavalos e burros que os puxavam eram da pior espécie, raquíticos, lazarentos; exploravam os pobres animais até que caíssem no meio da rua. E lá ficavam para apodrecer.

— As caleças eram as de quatro rodas, não eram?

— Sim, maiores e mais confortáveis, sem dúvida. Muito usadas para viagens mais longas, como para Petrópolis. Foi numa dessas que Carolina e eu viajamos para **PETRÓPOLIS.**

_Curiosidade:
Petrópolis foi fundada em 16 de março de 1843 por Dom Pedro II. O Imperador, atraído pelo clima ameno que lembrava o clima europeu e pela natureza exuberante do local, transferia sua corte do Rio de Janeiro para Petrópolis durante os meses mais quentes.

VOLTANDO À LITERATURA

Eu aproveitava os deslocamentos de um lugar ao outro para encher de perguntas o meu incansável companheiro. Afinal, dizem que um raio não cai duas vezes no mesmo lugar. Sabe-se lá se eu teria outra oportunidade igual àquela. Tinha que aproveitar cada minuto.

— Mestre, mudando um pouco de assunto, como era o mercado editorial? Quero dizer, a publicação e venda de livros?

Ele coçou o cavanhaque.

— Nada bom, minha cara, nada bom. A arte entre nós foi sempre órfã, ao menos no meu tempo. Poucos livros se publicavam, e ainda menos se liam.

Fiquei triste ao pensar que, nesse ponto, as coisas continuavam iguais. Expliquei a ele que o mercado editorial brasileiro vivia na corda bamba.

— Não mudou muito o panorama, senhor Machado. Publica-se muito, é verdade, temos grandes redes de livrarias pelo país inteiro. Realmente não sei como se mantêm, ainda mais com a Internet.

Por que fui falar nisso? Ele interessou-se imediatamente e fez com que eu explicasse o que era a Internet, e o que tinha a ver com os livros, dentro dos meus limitados conhecimentos de informática. Para facilitar, dei exemplos no meu celular.

— Mestre, com a Internet, podemos comprar livros a distância, sem que seja necessário ir às livrarias.

— Que cousa estupenda! Então não é só uma engenhoca que conhece as ruas? Mostre-me mais, por favor!

Então puxei no Google o nome "Machado de Assis", e páginas e mais páginas se abriram, com biografia, bibliografia, fotos de Machado, capas de suas obras, os quatro livros de sua fase romântica, os cinco da fase realista, as antologias de contos e poesias que ele mesmo organizou, as peças de teatro, as crônicas.

Antes que aparecessem outras fotos, inventei ter acontecido alguma coisa com o meu aparelhinho, senão o passeio que eu tanto esperava estaria condenado.

— Que pena! Este artefacto é interessante, mas logo imaginei que não teria longa duração, com tanta coisa escrita dentro dele.

Achei delicioso o comentário do Mestre; fingi que concordava para poder voltar ao assunto dos livros.

— Como eu dizia, apesar de se publicar muito, o que vende mesmo são os *best-sellers*.

Olhou-me de lado.

— Perdão, mas isso é redundância. Já está dito na expressão inglesa: os mais vendidos.

— Pois é — emendei. — *Best-sellers* são livros de grande sucesso, mas, em sua maior parte, nada ou quase nada literários. Muita ação, muita violência, muita sensualidade. Ou, então, romances a que chamamos "água com açúcar", como os romances de costumes do período romântico. Geralmente, não passam de textos para leitores que só se interessam pela trama e têm pressa de ler o final.

— Entendo, entendo. Por isso, são esses que vendem muito, suponho.

— Sim, Mestre. E é óbvio que são infinitamente inferiores aos seus livros. Para nossa sorte, sua obra continua sendo lida. Faz parte do currículo das escolas e também dos vestibulares.

Claro que ele quis saber o que eram vestibulares, quais as obras que eram escolhidas pelas escolas, contos? romances? crônicas? Os alunos gostavam? Expliquei o que eu sabia, falei que ele, como o maior escritor brasileiro, era muito estudado, especialmente nas Faculdades de Letras, com destaque para o *Brás Cubas*, o *Quincas Borba* e o *Dom Casmurro*.

— Senhor Machado, perguntei. O *Quincas Borba* não é uma quase continuação de *Memórias Póstumas*? Quincas era amigo de infância do Brás, não é isso? E morreu louco na casa do amigo, ainda no começo do romance.

— Tem razão, minha amiga. Um confrade de Academia chegou mesmo a sugerir que eu fizesse uma trilogia, a terceira parte tratando de Sofia. Pensei no assunto, mas não abracei a sugestão.

— Fez muito bem, Mestre. A interesseira Sofia e seu marido tratante, o Cristiano Palha, só queriam se aproveitar do ingênuo Rubião, que herdou a fortuna e o cachorro do Quincas Borba. Ela não merece um livro só para ela.

— Pelo que vejo, ainda bem que não caí no esquecimento — respondeu, com aquele meio sorriso discreto que eu já sabia ser de prazer.

Respondi, animada:

— Como poderia, senhor Machado? Seus romances, mesmo aqueles anteriores a *Memórias Póstumas de Brás Cubas*, são completamente diferentes dos da geração romântica que o precedeu.

O meio sorriso persistia.

— Com efeito, mesmo nos meus romances mais à moda de **JOSÉ DE ALENCAR,** a quem sempre dediquei a maior admiração, busquei dar aos meus personagens um olhar interior.

Mais animada ainda fiquei:

— E a construção deles, então? A forma como os personagens surgem aos poucos, por meio de um gesto, uma frase, uma ação... simplesmente genial! E as interrupções? As falas com o leitor, o ir e vir, a remessa a capítulos anteriores, as divagações, como se o narrador não se preocupasse com a ordem cronológica... magistral. Coisa de bruxo!

Mal tinha pronunciado a última frase, quis morder a língua. Eu, chamando Machado de Assis de bruxo, quando ele ainda não tivera

_José Martiniano de Alencar

(1829-1877) foi escritor, dramaturgo, jornalista, advogado e político brasileiro, e o principal romancista brasileiro de temática nacional da fase romântica. Foi escolhido por Machado de Assis para patrono da Cadeira n.º 23 da Academia Brasileira de Letras.

tempo de assimilar o apelido que lhe fora dado por Drummond. Muito sem graça, pedi desculpas ao meu ilustre companheiro.

Ele não pareceu notar, ou, se notou, foi educado o bastante para prosseguir.

— Este Rio de Janeiro foi o palco para a minha literatura. Sempre urbana, como a senhora há de ter notado em suas leituras.

— E também notei que, mesmo as suas obras escritas durante a República, sempre se passam no Segundo Império, com todo o luxo da Corte, as grandes festas, as roupas vindas da França, a língua francesa dominando nos salões.

— Pois é, minha cara, mas também com um olhar agudo e crítico à superficialidade na qual viviam as elites.

— Sem dúvida, isso fica muito claro. Por sinal, o senhor foi um ótimo crítico da sociedade daquela época.

Emendando uma pergunta à outra, continuei:

— O Rio de Janeiro aparece em toda a sua obra. Mas porque o senhor nunca quis sair daqui? Tinha recursos para isso, não é verdade?

— Decerto. No entanto, viajar não exercia maior apelo para mim. Eu não conheci as cidades estrangeiras, sem dúvida muito belas, mas a minha terra natal, por mais que seja uma aldeia, é sempre o paraíso do mundo.

Fiquei pensando nessa fala inspiradíssima do meu amigo, que em poucas palavras demonstrou todo o seu amor pelo Rio de Janeiro. Em seguida, acrescentei:

— Imagino que o ritmo calmo de suas histórias representasse a vida tranquila da sociedade naquele tempo.

— Não se deve confundir o ritmo calmo em que se vivia nas chácaras no início do século XIX com o que aconteceu depois. Tome como exemplo a minha vida. Nasci às portas do Segundo Reinado, que depois caiu, dando lugar à República. Vi terminar o tráfico de escravos e, algum tempo depois, a própria escravidão. Entramos e saímos da Guerra do Paraguai, o Marechal Deodoro da Fonseca liderou o golpe de estado, derrubando o Império e tonou-se o primeiro presidente do Brasil; em meio à grave crise política, Deodoro renunciou, assumindo a presidência o seu vice, Floriano Peixoto, o que suscitou revoltas violentas, que Floriano debelou sem clemência, ficando conhecido como o "Marechal de Ferro". Ainda alcancei o terceiro, o quarto, o quinto e parte do governo do sexto presidente, o senhor Afonso

Pena, o último do qual me recordo. Bastante agitação num período de 69 anos, não acha?

— É verdade, senhor Machado. Temos o hábito de pensar no passado como um período de grande serenidade.

— Tem mais: entre o fim do tráfico e a assinatura da Lei Áurea pela princesa Isabel, filha do nosso estimado monarca Dom Pedro II, homem esclarecido e honesto que amava o Brasil, houve a Lei do Ventre Livre, pela qual as escravas prenhes davam à luz filhos libertos; e também a dos Sexagenários: os velhos escravos ganhavam a liberdade ao completarem 60 anos.

— E como essas leis afetaram o Brasil? — eu quis saber.

— No início foi uma *débâcle*. Todas essas conquistas não foram alcançadas sem muita rixa, porque a nossa economia baseava-se na cana-de-açúcar e no café, cujo plantio, colheita e ensacamento dependiam da mão de obra escrava. Mas, aos poucos, as coisas foram se adaptando, como tudo na vida. Vieram os imigrantes, e a economia prosseguiu seu curso. Mas que tal se formos para o próximo endereço?

— Claro, o senhor manda!

Lá fomos nós. Eu sabia que estava abusando da boa vontade do meu amigo com tantas perguntas, então decidi falar de amenidades. Mencionei o calor, e conversamos sobre as lojas de roupas — nada que se comparasse à Rua do Ouvidor de seu tempo —, a falta de leitores, a pobreza dos títulos oferecidos nas vitrines das livrarias.

Conversa vai, conversa vem, chegamos enfim à…

RUA DAS LARANJEIRAS

Esta rua tinha sido o quarto endereço do casal, segundo me informou Machado. Procuramos o sobrado de número 6. No entanto, o lado par da via não tinha numeração, sabe-se lá por quê. Nem sequer uma pista de onde teria sido a casa.

Fiz menção de pegar o celular na minha bolsa, mas ele me deteve com um gesto.

— Desistamos da maquineta, caríssima. Sabemos que a casa se foi. É o quanto basta.

Fomos embora desanimados em face da voracidade de crescimento e modificação da cidade, com isso sacrificando as edificações antigas. Não imagino que tivessem algum valor arquitetônico, mas não se pode apagar a memória de uma cidade; e, no nosso caso, varrer do mapa os locais em que viveu uma personalidade tão importante. Na Europa isso não ocorreria, foi o que lhe disse. Ao menos uma placa, uma indicação de quem morara no local...

Seguimos em direção ao próximo endereço.

_Curiosidade:
A rua das Laranjeiras tem este nome, pois havia muitos pés de laranjas nas margens do Rio Carioca, onde nasceu o bairro. No século XIX, foram surgindo, na região de Laranjeiras, chácaras luxuosas ocupadas por famílias ricas.

RUA DO CATETE

Mais uma residência de Machado de Assis. Procurei avidamente o número 156. No lugar onde ele morara, encontrei um centro comercial.

— Não se lastime, minha cara, a culpa não é sua! A verdade é que aqui também não encontro mais meu lar. Agora, só lojas e construções de vários andares. Um verdadeiro fuzuê de pessoas e anúncios nas paredes. Prossigamos, falta pouco. Está cansada?

— Nem um pouco. Em sua companhia, o tempo deixa de existir, e, com ele, o cansaço. Nunca me senti tão animada e disposta, Senhor Machado. Uma perguntinha: é verdade que o senhor era chamado de Machadinho pelos seus amigos?

Ele sorriu docemente:

— Sim, sim, os amigos mais próximos me chamavam assim. E eu gostava desse tratamento carinhoso. Fazia com que me sentisse benquisto, como de fato, sempre fui.

Daí em diante, passei a só pensar nele como Machadinho, essa criatura maravilhosa que tinha me caído dos céus.

No caminho, resolvi fazer-lhe mais algumas perguntas.

— Quais as coisas que mais lhe marcaram no seu tempo, Mestre?

Ele pensou um pouco e respondeu:

— Houve muitas cousas. No entanto, foi a iluminação que mais me causou assombro. Lembro como se fosse hoje o dia em que o centro do Rio foi iluminado. Parecia obra de gênio, ainda mais para mim, que lia até altas horas. Os lampiões a querosene eram fracos, e a luz que produziam oscilava muito, acabando com a vista.

Cerrou os olhos, com ares de lembrança. E eu, ávida por ouvir mais e mais.

— Uma noite de grandes festejos foi quando inauguraram a iluminação elétrica na Rua do Ouvidor. Até então, nossa rua principal vivia sob a luz mortiça do querosene e mesmo a de gás, sem dúvida melhor, mas incomparavelmente inferior a luz elétrica. Que grande inventor o senhor **THOMAS EDISON,** que deu ao mundo essa benesse. Aqui no Rio, todas as lâmpadas do Ouvidor foram acesas ao mesmo tempo. Imagine a senhora: a cada seis metros, as lâmpadas, suspensas em arcos nos dois lados da rua por toda a sua extensão.

— Deve ter sido um espetáculo de encher a vista! — comentei.

— Indescritível, minha cara! A nossa rua estreitinha, em que tanta coisa acontecia, a mais genuína rua carioca, demorou para receber a nova iluminação, enquanto nas demais a luz já era feérica. O povo acompanhou a comitiva das autoridades, encabeçada pelo ministro de Viação. Percorreram a pé a Ouvidor, desde o Largo de São Francisco, a fim de melhor avaliarem o efeito daquele banho de luz. O cortejo parou em frente à Casa Raunier, uma das mais importantes do Rio, e um grupo de senhoras ofereceu uma *corbeille* de flores ao ministro. Em seguida, foram todos à Casa Pascoal, outra magnífica confeitaria que tínhamos — não a vejo mais —, e o proprietário ofereceu um champanhe, entre discursos e palmas.

_Thomas Edison (1847-1931)

foi um empresário e um dos maiores inventores da humanidade. Sua maior invenção foi a da lâmpada elétrica. Chegou a registrar um total de 1.033 patentes.

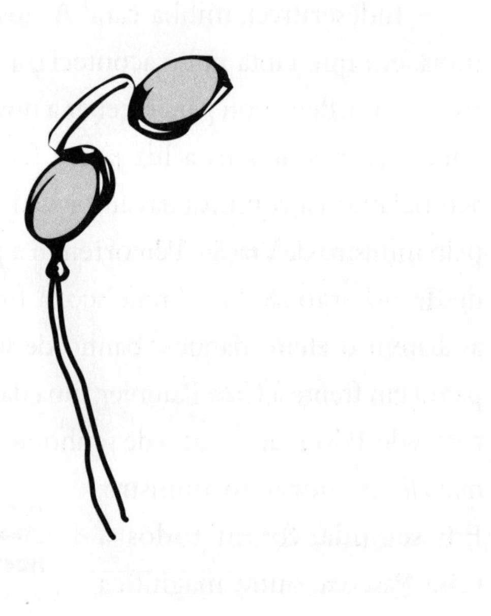

RUA DO COSME VELHO, A ÚLTIMA MORADIA

— Ora, ora, cá estamos! O endereço que fez de mim um bruxo! — falou, divertindo-se.

Mas logo mudou o tom:

— A Rua do Cosme Velho, onde Carolina e eu moramos por tantos anos. Veja, o sobrado da condessa de São Mamede ainda existe. Foi ela quem apadrinhou nosso namoro.

Parou por um segundo e exclamou:

— Que grata surpresa! A capela onde nos casamos também continua em pé, igualzinha ao que era. Agora, só falta o chalé que alugamos da senhora condessa, o de número 18.

Andamos, andamos, e nada de encontrar o chalé.

— Espere, Mestre! Há uma placa no edifício de número 174.

Fomo-nos aproximando.

— Deixe-me ver. Que maçada! Não estou conseguindo ler direito, os óculos a cada dia parecem mais fracos.

Então, li em voz alta:

No primeiro ano da morte do escritor, Rui Barbosa liderou uma romaria de escritores à casa do Bruxo, no Cosme Velho. Olavo Bilac fez um discurso: "Perdendo o mestre, não perdemos o exemplo constante (...). Aqui vimos e viremos e aqui virão, quando tivermos desaparecido, aqueles que nos sucederem".

Colocaram uma placa comemorativa em vez de conservar a casa, pensei. Era o mínimo que se podia esperar diante de tanta falta de sensibilidade histórica. Na pesquisa para o TCC, eu descobri que a placa tinha sido uma iniciativa de acadêmicos, encabeçados por Rui Barbosa, no primeiro aniversário de morte de Machado. Na inauguração da placa, Olavo Bilac fez um discurso empolgado. O pior é que no centenário de nascimento do Mestre, a casa foi demolida. Que insensibilidade! Mas não disse nada ao meu amigo. Para que frustrá-lo ainda mais? Estava realmente envergonhada com a sanha de levantarem edifícios, a qualquer preço.

— Pelo menos se lembraram deste velho — murmurou.

Ele deu um longo suspiro. Sempre que se permitia um suspiro assim, era porque a lembrança o entristecia muito.

— Aqui foi minha última morada, ainda com Carolina, e, depois, viúvo e doente... Carolina morreu em 1904. Eu tinha acabado de escrever *Esaú e Jacó*.

— Eu li! — interrompi. — A história dos gêmeos, tão diferentes entre si, e que acabam se apaixonando pela mesma mulher...

Machado perdia-se em memórias:

— Carolina chegou a ler os originais, como fazia sempre. **NOSSA CASA DO COSME VELHO** era bem bonita; tinha três janelas para a rua, um jardim muito cuidado e um pequeno regato, cujo som nos embalava. Meu gabinete de trabalho ficava no térreo, com a biblioteca e todos os livros que fui comprando pela vida.

Deu mais um suspiro profundo e disse com certa secura:

— Bem... aqui também não encontro mais meu lar. Agora, só lojas e construções de vários andares. Não sei como as pessoas podem morar umas em cima das outras. Um verdadeiro alvoroço de gentes e anúncios.

E, fechando a cara, determinou:

— Vamos embora!

Para melhorar o clima, exclamei, após consultar o Google:

— Veja aqui, Mestre! — e mostrei-lhe a tela do celular, para que agora ele pudesse ler o poema

_casa de Machado de Assis

Enquanto morou no sobrado da Cosme Velho, Machado tinha o hábito de queimar papéis e cartas antigas dentro de um caldeirão, no jardim ou quintal de sua casa. Os vizinhos logo pensaram se tratar de alguma magia, para colher energia cósmica como inspiração. Daí o apelido de "O Bruxo".

"Ao Bruxo, com amor", de Carlos Drummond de Andrade, com personagens tiradas da sua obra, publicado em 1958 no Correio da Manhã e, claro, escrito bem depois do seu enterro.

— No meu o quê?

— Bem... quero dizer... seu enterro que, diga-se de passagem, em 1908, movimentou a elite do Rio de Janeiro. Todos foram prestar-lhe as últimas homenagens: autoridades, escritores, poetas, acadêmicos e políticos.

Ele me olhou de lado, com um sorrisinho irônico.

— Políticos também? Duvido! Nos meus artigos nos jornais, não perdi oportunidade de criticar os maus e, claro, elogiar os bons.

Deixou-se ficar mais um pouco e olhou ao redor. Imaginei que estivesse tentando capturar o passado. Súbito, aprumou-se e falou:

— Continuemos.

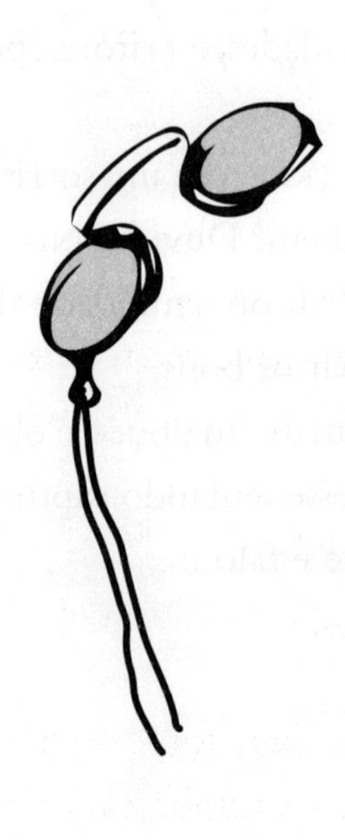

CHEGANDO AO FINAL

— Bem, minha cara, já percorri as casas onde morei. Agora, planejo visitar as redações dos jornais onde trabalhei e, por fim, a Academia Brasileira de Letras. Você está livre para me deixar.

Acho que empalideci.

— Por que, Mestre? Não quer mais a minha companhia?

Nesse ponto, ele gaguejou bastante.

— N… não é isso, minha cara. Você continua bem-vinda nesta nossa jornada. Imaginei que pudesse estar enfastiada com passadismos.

Ufa! Por um momento, achei que estava perdendo minha chance de ouro. Toda animada — para não dizer aliviada —, dei o braço ao meu amado companheiro de andança.

— Vamos em frente, Mestre!

Ele deu um sorriso embaraçado. Claro, li que era tímido e introvertido, mas acho que gostou do meu gesto ousado, porque deu uns tapinhas carinhosos na minha mão, que repousava em seu antebraço.

"Nunca mais vou lavar esta mão", pensei comigo. Aí, tive uma grande ideia. Por que não uma *selfie* com o monstro sagrado? Seria a prova de que não sonhei.

Peguei meu celular na bolsa.

— Mestre, podemos fazer uma *selfie*?

— Uma o quê?

— Uma foto em que nós dois sairemos juntos — expliquei.

E já fui me achegando bem perto dele e estendendo a mão que segurava o celular.

— Sinto desapontá-la, prezada. Mas deixei de ser matéria há muito tempo. Certamente, sua maquininha não captará minha imagem.

— Podemos tentar ao menos?

— Por certo. Vamos lá!

Nós dois de braços dados, eu sorrindo largamente e ele sério, como cabe a um imortal.

Estendi bem meu braço livre e encostei a cabeça à dele e...

— Um, dois, três. Sorrindo!

Clique! Quando olho para a foto, vejo meu rosto com o sorriso escancarado e o braço estendido, solto no ar. E ao meu lado, ninguém!

— Posso ver? — ele perguntou.

Mostrei-lhe sem dizer palavra, tal era minha decepção.

— Não disse? Sabia que ia desapontá-la.

— É, Mestre, não há o que fazer. O principal é estar em sua companhia. Não preciso de foto para me lembrar deste dia pelo resto da minha vida.

_Paço imperial
Em algum dia de janeiro de 1840, o capelão francês Louis Comte pegou seu daguerreótipo – uma espécie de aparelho precursor da máquina fotográfica –, apontou em direção ao chafariz do Mestre Valentim, no Jardim do Paço Imperial e clicou.

Ele sorriu para mim com carinho.

— Então, vamos embora.

No caminho, contou-me da primeira vez que vira uma máquina fotográfica. Fora na casa de um tal Pacheco, na Rua do Ouvidor.

— Fiquei bastante interessado naquela maquineta. O primeiro destes artefactos foi trazido ao Brasil por um monge francês. O próprio monarca assistiu à experiência em que, num intervalo de nove minutos, foi reproduzida a **FACHADA DO PAÇO,** imagine só!

Pensei com meus botões como cairia o queixo de Sua Majestade, caso visse as possibilidades incríveis que meu celular faz em matéria de fotografia.

Estávamos passando de novo pela Rua do Ouvidor. Machadinho parou diante de uma ou outra vitrine e desdenhou.

— A moda no meu tempo era tão mais sofisticada do que estas roupas aí expostas... As mulheres usavam lindos trajes que lhes punham à mostra toda a graça feminina. **OS VESTIDOS DE SEDA** se assentavam nas deliciosas curvas, os braços nus, cinturinhas bem apertadas, deixando sobressair quadris generosos.

—Vejo que o senhor era um grande apreciador das mulheres.

— Sem dúvida! Eram lindas as mulheres do meu tempo. Não só as jovens. As maduras não ficavam para trás. Rendas, fitas e galões bordados. Luvas com dez botõezinhos, como era de tom, e, por fim, um leque, cuja movimentação tinha quase uma linguagem própria.

_Vestidos de seda
Réplica de vestido dos anos 1850.

Será que ele fora insinuante e conquistador nos tempos de juventude?!, pensei.

Ele prosseguia:

— Quando caminhavam, as damas deixavam ouvir um suave fru-fru. Sem falar nos ricos adereços enfeitando os colos alvos, exibidos nos bailes da corte.

Eu nem sabia o que falar diante das moças e senhoras que víamos agora no Centro Velho, a moda mudou muito ao passar dos séculos.

Sempre de braços dados comigo, ele falou:

— Vamos entrar à direita, pois, se não erro, logo estaremos num lugar muito especial.

Eu torcia para que chegássemos depressa ao lugar que ele queria visitar, porque o calor estava cada vez mais terrível; parecia subir em ondas do asfalto. De tempos em tempos, ele se enxugava com seu lenço, depois dobrava-o bem e punha-o no bolso do colete. Eu observava, divertindo-me, os seus modos encantadores, tão do século XIX...

De súbito, exclamou vitorioso:

— Não me enganei! Olhe lá. A Confeitaria Colombo — apontou com o magro indicador. — Bem onde eu me propunha levá-la. Felizmente, ainda existe.

E apressou os passinhos o quanto pôde.

Ufa! Entramos na linda confeitaria *Art Nouveau*, que eu já conhecia de outras viagens, e uma lufada de vento frio nos atingiu em cheio.

— De onde vem este frio repentino? — perguntou-me, alarmado.

— Não se preocupe, Mestre! É o ar-condicionado, uma das maravilhas da modernidade. Refresca os ambientes, mas também pode aquecê-los.

— Entendi, entendi — falou, sem dar muita atenção à novidade. Estava mesmo era buscando alguma coisa em torno.

— Ah, cá está. A mesa na qual costumávamos nos sentar para falar de literatura e da futura Academia Brasileira de Letras.

Meu coração disparou de emoção. Pensar que em pleno ano de 2021 eu tinha a honra de me sentar à mesa em que, no passado, se reuniram os intelectuais, projetando a ABL. Era demais!

Aproximou-se o garçom. Ele pediu um refresco de caju, e eu, uma Coca-Cola.

— O que é isto? — estranhou quando abri a latinha e o gás saiu.

— Bem, digamos que é um xarope de frutas gaseificado. Quer provar? Ah, veio a calhar. Minha garganta já estava seca com todo esse calor.

Olhei em volta para apreciar melhor aquela deslumbrante confeitaria. Na companhia de Machado, podia até fantasiar que estava na *Belle*

Époque. Meu amigo continuava a tagarelar; logo ele, que, pelo que eu tinha lido, não era muito dado a conversa fiada. Sorte a minha que hoje estava de língua solta. Bendito Machadinho!

E foi ele quem falou:

— Sem querer ser indiscreto, vejo que na mesa ao lado estão saboreando algo que parece bem atraente.

Virei-me para verificar. Era um *banana split*. Expliquei-lhe tratar-se de sorvete com uma banana por cima e calda de chocolate.

— Que nome estranho para uma banana com sorvete!

Tomou alguns goles de seu refresco e continuou:

— Ah, esses nomes estrangeiros! Pensam que é um atrativo, em vez de usar o designativo nacional. Nos bons tempos, o doce de coco e a marmelada não precisavam de outra alcunha. E não faltavam à mesa das famílias. As escravas faziam essas delícias em grandes tachos. Eram supimpas. Mas os tempos mudaram, e a nova geração veio com estrangeirices como o bife cru e o *sandwich* e nomes de doces estrambólicos, como o que a senhora acaba de citar. Assim, foram modificando o paladar e deixando de lado, pouco a pouco, os nossos doces formidáveis. E também os salgados, que, só de olhar, nos abriam o apetite.

Aproveitei a deixa:

— O que mais comiam, Mestre? — perguntei, já tomando notas mentalmente.

— Deixe-me ver… — pensou um pouco. — Em dias de festa serviam-se perus e leitões assados. De sobremesa, doces e marmeladas, queijo e cará servidos com melado grosso. As compoteiras de cristal coloriam a mesa com as compotas de frutas, além de outras iguarias. Se fosse nomear todas, perderíamos muito tempo. Creio que descrevi esses doces na festa, em meu *Brás Cubas*…

— Só mais algumas — pedi.

— Bem, vejamos os salgados: pastéis de ostras, de fiambre, croquetes, sopas, vatapá e peixes. Os *buffets* dos bailes, então…! Uma comilança sem fim. Dignos de Pantagruel.

Eu tinha feito o curso da Aliança Francesa, então sabia que Pantagruel era um personagem de Rabelais. Mas e ele, que nunca fizera estudos formais? Ah, Mestre!, considerei comigo mesma. Então você leu Rabelais, e, sem dúvida, no original. Eu precisava obter mais informações preciosas sobre esse ser fantástico, na verdadeira acepção da palavra:

— E as bebidas? — perguntei.

— Bebiam-se champanhes e vinhos variados. Eu apreciava muito um cálice de vinho do Porto ou um xerez. Serviam-se licores feitos em casa, em lindas licoreiras de cristal da Boêmia, de vários sabores, e também conhaque. Já a cerveja era mais apropriada para se beber na Carceller.

E eu, intrometida:

— O que é Carceller?

— *Era*, penso eu! Pelo jeito, teve o destino dos demais endereços que visitamos. A Carceller era uma confeitaria que ficava na Rua Direita. Muito elegante, como esta aqui. Quando estivemos lá nas redondezas, não vi mais o imóvel.

O tempo passava. Quando terminei minha segunda Coca-Cola e ele, o terceiro refresco, sugeri:

— Que tal se formos andando? Senão, atrasamos o nosso passeio.

— Sem dúvida, vamos embora! Fico sonhando com o passado, e temos muitas coisas ainda para visitar.

Fiz um sinal para o garçom trazer a conta.

— Não, não! — interrompeu meu gesto. — Pago a conta, faço questão.

E remexeu os bolsos, de onde tirou algumas moedas.

— Isto deve bastar.

Sem querer parecer indelicada, vi que as moedas do seu tempo só valiam para colecionadores. Disse-lhe que, agora, tínhamos um dinheiro de plástico e mostrei meu cartão de crédito.

Ele o tomou em suas mãos e o examinou, encafifado.

— Isto é dinheiro? — duvidou.

Quando o garçom chegou com a máquina de débito, introduzi o cartão, digitei a senha, vindo em seguida o recibo. Ele só olhava, incrédulo.

— Mas aonde a senhora depositou as cédulas, as moedas?

— Não precisei depositar. Ou melhor, com este cartão, o dinheiro já está na conta da confeitaria, querido Mestre. Isto são coisas de um futuro ainda muito distante do seu tempo.

— Como?! Como?!

— Melhor não me perguntar, porque não saberia explicar. Para mim também não deixa de ser uma novidade. Mas leia aqui no recibo, a que chamamos tíquete: Confeitaria Colombo, o dia, a hora e o valor. Já está pago e podemos ir.

Ainda que não muito satisfeito com a resposta, levantou-se e afastou a minha cadeira, como o perfeito cavalheiro que era.

MUITO TRABALHO PARA CHEGAR AO TOPO

Saímos da confeitaria bem descansados. Minha cabeça fervilhava de tantas perguntas que eu queria fazer. Agora me dava conta de que o passeio estava chegando ao fim e de que era preciso aproveitar cada segundo. Sim, voltaria à literatura, assunto preferido do mestre. Perguntaria sobre a carreira dele. Isso mesmo!

— Mestre, foi fácil para o senhor chegar ao reconhecimento, não foi?

— Minha cara, a carreira de escritor nunca é fácil. Trabalhei muito para chegar aonde cheguei. Comecei muito cedo. Das balas de minha madrasta, passei para as letras. Ou melhor, tipos.

— Como assim? — eu quis saber.

— Tive a sorte de ser contratado como tipógrafo na tipografia de **FRANCISCO DE PAULA BRITO,** na Praça da Constituição. Fiz de tudo lá: de tipógrafo a caixeiro na livraria. Ele também tinha uma editora e me deu as primeiras oportunidades de publicar meus versos no seu jornal, *A Marmota Fluminense*. Aos 15 anos, publiquei naquele periódico o poema "Ela". Isso foi em janeiro de 1855, data que nunca esquecerei.

Fiquei pensando como teriam sido esses primeiros passos do meu ídolo na vida literária. Perguntei-lhe isso, e ele, sem modéstia, falou-me de suas amizades com intelectuais e de suas publicações em vários jornais.

— Paula Brito era um homem formidável. Acolhia-nos generosamente: escritores portugueses e brasileiros, muitos mais velhos, outros em início de carreira, como foi o meu caso. Éramos publicados na *Marmota*, além de nos encontrarmos na sua loja para saraus literários.

_Francisco de Paula Brito (Rio de Janeiro, 1809-1861), deu início ao movimento editorial brasileiro. Homem negro de origem modesta e sem instrução formal, ele foi o precursor da imprensa e do mercado literário no Brasil. Tipógrafo, livreiro e poeta, tornou-se o editor preferido da elite carioca e o principal editor da sua época.

Que interessantes deveriam ser esses encontros! Lembrei-me de ter lido que lá iam escritores e intelectuais da época, como Manuel Antônio de Almeida, o autor de *Memórias de um sargento de milícias*, que eu tinha lido no Ensino Médio, e também Joaquim Manuel de Macedo, que escreveu *A moreninha*, romance bem romântico, que até filme e novela virou.

— Não se reunia lá uma sociedade literária?

— Sim, a Sociedade Petalógica. Reuníamo-nos aos sábados na livraria de Paula Brito e líamos versos, falávamos de literatura e comentávamos as peças teatrais em cartaz.

— Mas por que "Petalógica", Mestre?

Ele sorriu:

— A senhora deve saber que "peta" é sinônimo de mentira. E nós criticávamos os mentirosos usando sátira e ironia. Era muito divertido participar daquele grupo.

Ficou calado por um tempinho. Achei que o assunto tivesse terminado. Mas, pouco depois, continuou:

— Assim, as portas se abriam para os aspirantes a escritor. Os mais famosos e generosos nos orientavam e nos apresentavam a outros círculos literários. Frequentei vários deles, num dos quais conheci o poeta Casimiro de Abreu. Ótimos encontros eram aqueles, nos quais discutíamos literatura. A imprensa teve papel importante na divulgação da minha obra.

— Como o senhor conseguia escrever seus livros, crônicas, contos e tudo o mais e ainda trabalhar em vários jornais? — curiosa, eu quis saber.

— Caríssima, a imprensa, além de porta de entrada para os que ambicionavam a carreira literária, ainda nos garantia um pouco mais de dinheiro. Mas, deixando de lado esse aspecto monetário, temos de considerar que a maior parte da população era analfabeta, e que os letrados não dispunham de muito dinheiro para comprar livros. Então, os jornais e periódicos é que faziam nossa obra chegar ao público.

— Muito interessante, Mestre! Acho que as pessoas não sabem disso.

— Pois é. No entanto, *Memória Póstumas de Brás Cubas*, *Quincas Borba* e vários de meus contos — eu diria, a maioria — foram publicados em jornais ao mesmo tempo que outras obras minhas, como *Iaiá Garcia*, *Helena*, *A mão e a luva*, de fase anterior de minha produção.

Que projeto mais ambicioso eu tinha escolhido! O homem escreveu dez romances, pra lá de 200 contos, dez peças de teatro, cinco coletâneas de poemas e sonetos, além de mais de 600 crônicas! Será que eu daria conta?

— Sabia, Mestre, que o senhor é o autor mais estudado no Brasil? A toda hora saem novos estudos sobre sua obra, sua vida, sua infância e juventude, se bem que essas últimas deixam os biógrafos de cabelo em pé, porque as fontes são poucas. É verdade que o senhor queimou grande parte desse acervo?

Ele pensou um pouco:

— Se queimei, devo ter tido bons motivos.

E retomou o caminho, sempre segurando meu cotovelo. Que doçura de pessoa esse Machadinho! Cada vez eu gostava mais dele.

A IMPRENSA

Sobre esse tema, eu precisava que meu companheiro falasse mais, porque não me parecia muito conhecido.

— Voltando à publicação de romances tão diferentes ao mesmo tempo nos jornais: como é que isso acontecia? Eram escolhas do editor? Havia liberdade de imprensa?

— Em termos. Tudo tinha que se adequar ao perfil do jornal. Por exemplo: jornais voltados ao público feminino não poderiam estampar os capítulos de *Memórias Póstumas*. Outros, muito conservadores, não aceitariam um conto como "A cartomante". Era uma questão de linha editorial.

Mais uma pergunta me ocorreu. Eu esperava que ele não se cansasse de minha curiosidade.

— E quais foram os jornais em que o senhor trabalhou?

Ele diminuiu o passo — "para se concentrar melhor", eu pensei.

— Como a amiga já sabe, ingressei muito jovem no jornalismo, pelas mãos de Paula Brito, com poesia e crítica literária. Já no *Diário do Rio de Janeiro*, a seção que me coube foi a de teatro.

— O senhor gostava muito de comentar as peças e falar das divas, não é mesmo?

Ele pigarreou. Esqueci o quanto era tímido e cerimonioso.

— O teatro era o sonho de todo jovem poeta da época. Invocávamos as musas e rabiscávamos versos que eram entregues às primas-donas, o coração aos galopes esperando que elas se dignassem a ler o que havíamos escrito. Mas eu fazia críticas de teatro sério, em todos os seus matizes: dramas, óperas, comédias, peças românticas. Nelas eu falava sobre tudo: a interpretação dos artistas, como também comentava os figurinos e os cenários.

Parou um pouco e, nostálgico, enfatizou:

— Nenhuma daquelas celebridades, no entanto, poderia se comparar à minha Carolina.

Retomamos o passo.

— Trabalhei no *Jornal das Famílias* e também em *O Cruzeiro*. Nele e no *Globo* publiquei romances de minha fase anterior, à romântica. Por fim, entrei no jornal *Estação* e colaborei com a *Revista Brasileira* e a *Gazeta de Notícias*. Na *Revista Brasileira* saíram as *Memórias Póstumas*, de março a dezembro de 1880. *C'est ça, mon amie.*

Como será que ele dava conta de tantas atividades? Foi o que a seguir lhe perguntei.

— E ainda havia outras, *ma chère*. Nem sempre fui assim casmurro. Houve um período na minha mocidade em que fui grande apreciador da vida social. Frequentei festas magníficas, bailes e reuniões animadíssimas. Dançávamos até altas horas. Eu frequentava a melhor sociedade. Tomávamos chá no Clube Fluminense, às vezes jogava uma partida de xadrez com algum amigo. Sem falar no baile mensal, sempre com a presença de moças bonitas.

— E o senhor encontrava ainda tempo para escrever sua imensa produção?

— Sem dúvida. A literatura era a minha razão de ser.

Quando eu lhe disse que não era por acaso que o mais importante prêmio literário brasileiro levava seu nome, ele ficou surpreso:

— Quem haveria de pensar que meu nome perduraria por mais de um século!

Foi a minha vez de ficar surpresa. Machado não imaginava sua importância em nossa literatura. Apesar de termos bons escritores, nunca mais surgiu um gênio como ele — repliquei sorrindo.

— É que o senhor, Mestre, é um Imortal, ao pé da letra.

Dei-lhe uma tapinha amigável nas costas, sem me importar se ele haveria de achar aquilo ousadia de minha parte.

Ele sorriu com prazer.

— Não sou homem que recuse elogios. Eles fazem bem à alma e até ao corpo. Quer saber? As melhores digestões da minha vida foram as dos jantares em que fui brindado.

Agora ele ria abertamente, e eu o acompanhava, feliz da vida com aquele presente que me caiu do céu.

— Por falar em imortal, ainda nos falta visitar sua casa, a Academia Brasileira de Letras. A Casa de Machado de Assis!

Pensei comigo que, certamente, o velhinho se surpreenderia com nosso próximo destino: a Avenida Presidente Wilson. Mal podia esperar o momento de chegarmos ao endereço.

RUMO A ACADEMIA BRASILEIRA DE LETRAS

Pusemo-nos a caminho. Aquela talvez fosse a última visita de nosso passeio, e eu queria um *grand finale*, que fosse verdadeiramente surpreendente. Eu tentava distraí-lo com muitas indagações, para acalmar a minha própria ansiedade, que crescia a cada minuto. Para que meu plano desse certo, eu precisaria distraí-lo. Disse a primeira coisa que me ocorreu:

— Não falamos quase nada de *Dom Casmurro*, nem de *Quincas Borba*, e só um mínimo de *Esaú e Jacó*. O *Memorial de Aires*, então, ficou esquecido. Teremos tempo para que o senhor me fale sobre essas obras-primas?

— Minha cara, não corra atrás do espírito.

— Não entendi…

— O que quero dizer é que devemos entrar na casa onde se vende impresso, brochado e encadernado o espírito de todos os homens, mortos ou vivos, poetas ou historiadores, clássicos ou românticos. Ou seja: as livrarias. Quer saber mais sobre as minhas obras? Vá à livraria. Melhor do que saber minha opinião.

Meu companheiro não se deixava enredar com conversa mole.

— É que achei esplêndida a passagem na qual Dom Casmurro diz que construiu uma casa no Engenho Novo igualzinha à de Matacavalos, onde morou na infância e juventude, para atar as duas pontas da vida. Quanta poesia nesse pensamento!

Ele deu seu meio sorriso e ajuntou:

— Espero que tenha lido o que escrevi adiante. Nem na ficção se consegue restaurar a adolescência.

Eu esticava o assunto:

— De todos os seus romances, meu preferido é *Dom Casmurro*. O ciúme de Bentinho por Capitu e Escobar é quase doentio. Capitu, tão mais forte e decidida do que Bentinho, que sabe manipular as situações, aquela que foi o grande amor do protagonista e sobre quem ele dizia ter "olhos grandes e rasgados como de uma cigana", ou então "olhos de ressaca". Que metáfora fantástica, Mestre. E que história!

Ele ficou meio sem jeito com tantos elogios. Eu prossegui:

— E qual é o segredo para ter uma produção tão grande?

— Escrever, escrever e escrever. Eu trabalhava de dia, então escrevia à noite, até altas horas. Nos fins de semana também. Até chegar a iluminação elétrica, escrevi muito tempo à luz de lampião, que, com sua chama bruxuleante, acabou por prejudicar minha visão. Foi assim que passei a escrever durante o dia. Todo o tempo livre que surgisse, eu me sentava diante da escrivaninha e punha-me a trabalhar nos meus livros.

— E sua esposa? Não reclamava de tanta dedicação?

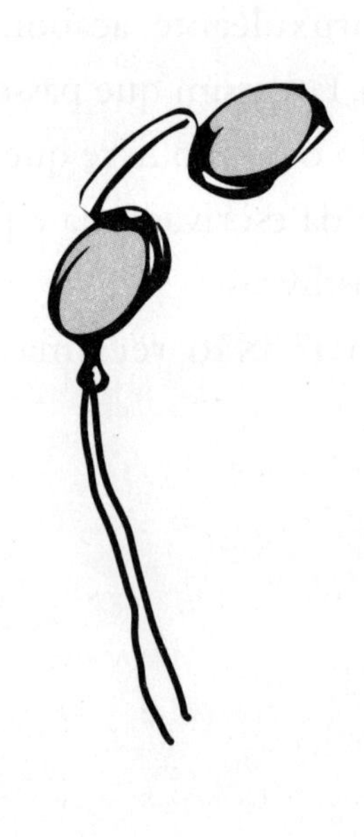

UMA DIVAGAÇÃO – O DIA A DIA DE UM IDÍLIO

— Jamais houve uma reclamação por parte de Carolina, pois sabia que escrever era o ar que eu respirava. Nossa vida era pacata e regrada. Posso vê-la tão bem, alta e magra, quase sempre usando um vestido preto e no pescoço, um jabô de renda branca, preso por um broche de ouro que eu lhe dei.

Ficou pensativo por alguns segundos e continuou:

— Acordávamos cedo, eu ia ver as rosas no nosso jardim, depois lia um tanto e às 10h saía de casa, tomava um bonde e ia para a repartição. O expediente se encerrava às 16h, então eu tomava outro bonde e descia na Livraria Garnier, na Rua do Ouvidor, e conversava um pouco com os amigos. Em seguida, voltava para o lar, onde Carolina me esperava. Após o jantar dávamos uma volta de braços dados. Eram esses os nossos hábitos diários, só modificados um pouco quando eu tinha sessões na Academia, às quais não deixava de comparecer. Que deliciosa e saudosa rotina ao lado da minha mulher.

E prosseguia, sonhador:

— Para nós, nada da agitada vida social da Corte. Fazíamo-nos a melhor companhia possível, um ao outro. Quantas vezes, na casa do Cosme Velho, aproveitávamos a aragem da noite, sentados lado a lado na nossa cadeira de balanço dupla, as mãos entrelaçadas. Eram esses nossos pequenos gestos de carinho que falavam tão alto do nosso amor. E rodando em torno de nós em busca de um afago, a nossa cachorrinha Graziela.

Deu um sorriso triste e se calou.

Fiquei pensando na ternura daquele casal, que se complementava tão bem. Como deveria ter sofrido o Mestre quando Carolina se foi. Que período terrível e solitário os anos que ele ainda sobreviveu. Que triste fim de vida, agravado pelas doenças que o acometiam... Lembrei-me do lindíssimo soneto "A Carolina", uma despedida tocante da mulher que tanto amou.

A Carolina

Querida, ao pé do leito derradeiro
Em que descansas dessa longa vida,
Aqui venho e virei, pobre querida,
Trazer-te o coração do companheiro.

Pulsa-lhe aquele afeto verdadeiro
Que, a despeito de toda a humana lida,
Fez a nossa existência apetecida
E num recanto pôs o mundo inteiro.

Trago-te flores – restos arrancados
Da terra que nos viu passar unidos
E ora mortos nos deixa e separados.

Que eu, se tenho nos olhos malferidos
Pensamentos de vida formulados,
São pensamentos idos e vividos.

Felizmente, meu amigo não compartilhava dos meus pensamentos sombrios. Ele continuava a falar sobre a escrita:

— Sabe, prezada, vou lhe dizer uma coisa: esta sarna de escrever, quando pega aos 50 anos, não despega mais. Na mocidade ainda é possível despegar-se dela.

Respondi sorrindo:

— Ainda bem que não despegou do senhor, que começou tão cedo!

E já enganchei outra pergunta:

— As mulheres dos seus romances e contos têm sempre olhar oblíquo, poucas são sinceras. Dão motivo para desconfiança e ciúmes. Por que, Mestre? O senhor não confiava nas mulheres?

— Vá explicar os motivos de um autor e o comportamento de seus personagens. Pergunte às musas!

Assim, meu amigo se desviou com elegância da pergunta.

De repente, me surpreendeu:

— Noto que a senhora se interessa muito pela arte de escrever e, como tem sido uma companhia tão gentil, vou falar um pouco sobre o que se deve exigir de um escritor.

Todas as vezes que ele se preparava para discorrer sobre seu tema favorito, até parecia crescer em tamanho.

— Escrever é um sentimento íntimo, que torna quem exerce essa arte homem do seu tempo e do seu país, e...

Súbito, cortou a frase.

— Mas onde estamos?

Olhei-o. Vi no seu semblante um olhar intraduzível: fascínio, encanto, surpresa...

— O que é isto? — ele me perguntou. —Vejo no frontão deste prédio, acima dos capitéis, a inscrição **ACADEMIA BRASILEIRA DE LETRAS.**

Eu, toda cheia de mim:

— Sim, Mestre, é aqui a sua casa. A sua Academia, inteira, bela, preservada, para compensar as inúmeras desilusões que o senhor teve nos demais endereços.

Ele não estava entendendo nada.

— Minha amiga, explique-me o que está acontecendo. Nunca nos reunimos aqui. As sessões da Academia não tinham endereço certo. Dependíamos da boa vontade de instituições que nos cedessem um espaço.

_Os imortais

De pé: Rodolfo Amoedo, Artur Azevedo, Inglês de Sousa, Bilac, Veríssimo, Bandeira, Filinto de Almeida, Passos, Magalhães, Bernardelli, Rodrigo Octavio, Peixoto; sentados: João Ribeiro, Machado, Lúcio de Mendonça e Silva Ramos.

Deixei que ele continuasse. Por dentro, eu não via a hora de contar-lhe a grande novidade, mas eu mesma tinha interesse em saber por ele como tinham sido os jovens anos daquela importante instituição.

— A Academia nasceu no escritório da *Revista Brasileira*, um local bem modesto, onde nós, um grupo de escritores, nos reuníamos diariamente para discutir o projeto ambicioso. A ideia partiu do jovem colega de Letras Lúcio de Mendonça, tomando como exemplo a *Academie Française*, fundada na França em 1635. Mas, volto a perguntar: este prédio...

— Conte mais um pouco, Mestre, desde o começo, e prometo que logo desvendarei o segredo.

Que sorte aquele banco providencial! Sentamo-nos lado a lado e me preparei mentalmente para não perder nenhuma palavra. Minha pesquisa estava ganhando conteúdo!

Como de costume, ele pigarreou algumas vezes, o que indicava que ia falar bastante, para sorte minha.

— A primeira reunião preparatória foi em 15 de dezembro de 1896, na sala da redação da *Revista Brasileira*. Apesar de ficar numa travessa da Rua do Ouvidor, era um escritório bem modesto. Na ocasião, tive a honra de ser aclamado presidente da instituição. Nessas reuniões preliminares, discutimos os estatutos, que foram aprovados em janeiro do ano seguinte, já se compondo o quadro de seus 40 fundadores.

Esperei um pouco para que ele tivesse tempo de juntar as ideias.

— Não tínhamos verba nem sede. O governo não quis nos patrocinar, então nos constituímos como uma instituição privada. E lá fomos nós, vagando como ciganos, de um local para outro, conforme nos cediam espaços. A sessão inaugural, em 20 de julho em 1897, foi realizada numa escola, o Pedagogium, que nos emprestou uma sala.

— Onde ficava esse Pedagogium?

— Na Rua do Passeio. Foi lá que fiz o discurso inaugural. Dos 40 membros, só compareceram 16, e escolhemos nossos patronos para cada cadeira. A minha escolha recaiu no meu muito admirado José de Alencar, na cadeira 23. Pois bem. Costumávamos fazer jantares da nossa "Panelinha", como nos chamávamos, e num deles anunciei que o governo nos dera a ala esquerda do Silogeu Brasileiro...

— E o que era o Silogeu?

— Um prédio governamental. Lá funcionavam também outras instituições culturais. Mas, nesse jantar, contei aos colegas que teríamos uma verba de 20 contos anuais. O anúncio foi recebido com vivas, brindes e discursos. A quantia permitiria que nós, acadêmicos, nem todos nadando em ouro, ficássemos dispensados da mensalidade e ainda por cima recebêssemos 20 mil réis por reunião.

— Posso imaginar a festança que deve ter sido...

— Sem dúvida. Mas não é só o inferno que está calçado de boas intenções; o céu emprega os mesmos paralelepípedos. Poucos meses depois, foi suspenso o benefício.

Fiquei indignada.

— Que mesquinharia! Por que fizeram uma coisa dessas? — perguntei.

— Razões que estão além da nossa compreensão. Mas a sede ficou. Situa-se na Lapa, muito ensolarada, um local condizente com a importância da Academia. Não sei se ainda está de pé. Talvez devêssemos dar um pulinho lá, apesar de já estar ficando muito tarde.

Mais uma vez, puxou o lenço do colete para enxugar a testa. Nem me dera conta, mas já findava o dia, e o calor não amainava. Prosseguiu sua narrativa:

— Faltei pouquíssimas vezes às nossas reuniões quinzenais, mesmo quando os meus achaques recomendavam ao meu corpo que ficasse em casa. A última vez que compareci foi em 1º de agosto de 1908, data de que não me esqueço. Eu sabia que não me demoraria muito mais por este mundo.

— De fato, o senhor já estava muito doente e sofrendo; sua passagem para o outro mundo foi em 29 de setembro, quase dois meses após a última sessão.

— Pois é. A moléstia vem quando é preciso morrer, e não o contrário.

— O seu enterro foi uma comoção em muitos meios. O Erário Nacional pagou o funeral. Houve muitas homenagens póstumas, discursos, notícias nos jornais, até mesmo no exterior.

— Ora, ora! No exterior? Quem diria!

Notei um tom ligeiramente irônico, mas acho que, no fundo, ficou bem contente. Endireitou-se no banco e, com voz decidida, determinou:

— Pois bem. Agora é sua vez de cumprir o combinado. O que significa este prédio?

Respondi, toda orgulhosa:

— Esta é a grande surpresa que eu estava guardando. Eu não conhecia bem a história do início da Academia, mas sabia deste imóvel, prédio definitivo da ABL, doado pelo governo francês em 1923. Pena que o senhor não estivesse mais por aqui.

Machado estava boquiaberto.

— Quer dizer que finalmente a Academia tem sede própria? Que notícia estupenda a senhora acaba de me dar!

Eu me sentia glorificada por ter sido a portadora da boa-nova. Era meu presente ao Mestre por ter me dado tantos elementos para enriquecer meu projeto. Sem mencionar a tarde fantástica que estava passando em sua companhia.

— Podemos visitá-la? — ele quis logo saber.

— Claro que sim, vamos lá!

Já íamos chegando ao portão de entrada quando ele, cada vez mais abismado, exclamou:

— Mas o que vejo! **UMA ESTÁTUA DE BRONZE COM A MINHA EFÍGIE?**

— Sim, Mestre — sorri deliciada. — E fica do lado de fora, nos jardins, para que não haja dúvida de que esta é a sua casa, como já lhe disse: a Casa de Machado de Assis. E o senhor ficará à entrada, pelos séculos afora, recebendo os seus pares, como convém a um imortal.

— Uma grande responsabilidade e uma grande honra — ele respondeu, com voz emocionada.

Peguei-lhe o braço e assim, juntos, entramos naquele monumento à intelectualidade de nosso país.

_A estátua em bronze de Machado de Assis, assinada pelo escultor Humberto Cozzo, foi construída em 1929 após pedido popular em comemoração ao 90º aniversário de Machado de Assis.

UM VISITANTE DO OUTRO MUNDO NA ABL

Ao entrarmos, senti uma emoção indescritível. O recepcionista pediu-nos para assinar um livro de visitantes. Fiquei só pensando o que o homem diria quando visse quem estava ao meu lado. Assinei e passei a caneta Bic para o meu amigo. Ele olhou-a intrigado.

— Isto aqui funciona?

— Experimente! — sorri para ele.

Passamos para o saguão. Uma mocinha de cabelos esverdeados e tatuagens coloridas nos braços, estudante de Artes Circenses, conforme nos contou mais tarde, e trabalhando parte do dia na ABL como guia, ofereceu-se para acompanhar a visita. Como o principal convidado não se opôs, eu também concordei. Foi então que ela deteve o olhar no meu companheiro, decerto surpresa com suas roupas antigas, mas não disse nada. Pela expressão do meu amigo, vi que também estava bem intrigado com a aparência da nossa guia.

Entramos no saguão, e ela começou a explicar, falando muito rápido:

— A Academia Brasileira de Letras foi pensada para seguir o modelo da Academia Francesa, e reunia a elite da intelectualidade. Sua principal função era a de ser guardiã da língua, fazendo dicionários e estudos ortográficos.

Fez sinal para que a acompanhássemos e continuou a papaguear o texto que, claro, estava na ponta da língua.

— É uma réplica do *Petit Trianon*, de Versalhes. Foi doada pelo governo francês à Academia em 1923. O prédio foi construído no ano anterior para representar o pavilhão da França na Exposição Internacional comemorativa dos 100 anos da Independência do Brasil, aqui no Rio de Janeiro, que era a capital. Foi a primeira sede própria da Academia e funciona até hoje, mas só para ocasiões especiais, como a posse dos acadêmicos. A parte administrativa fica no prédio ao lado, o

Palacio Austregésilo de Athayde, que presidiu esta instituição por 34 anos. O prédio também pertence à Academia.

Depois de uma breve pausa para tomar fôlego, prosseguiu:

—Vocês devem ter visto na entrada um dos mais conhecidos símbolos da Academia, a escultura de bronze de Machado de Assis, encomendada a um famoso escultor italiano, Humberto Cozzo.

— Isto tudo é surpreendente — falou meu amigo.

— A visita começa aqui pelo saguão. Notem o piso de mármore, o lustre de cristal francês. Estas peças de porcelana que vocês veem são de Sèvres, francesas, antigas, valiosíssimas.

Prosseguiu:

— O saguão conduz ao Salão Nobre, ao Salão Francês e à Sala Francisco Alves. Aqui no térreo temos também a Sala dos Poetas Românticos, a Sala Machado de Assis e a Sala dos Fundadores.

A essa altura, ela parou e encarou meu amigo:

— Sabe que o senhor está muito bem caracterizado como Machado de Assis? Poderia passar por ele, se já não tivesse morrido há tanto tempo. O senhor é ator? Eu faço teatro também, amador.

Machadinho ficou firme:

— Não, minha jovem, não sou ator. Digamos que sou um excêntrico. Pois é, já me disseram que o disfarce é perfeito. Quer dizer que há uma Sala Machado de Assis?

— Sim. Não sei se o senhor sabe, mas ele é até hoje considerado o maior escritor brasileiro. Já leu alguma coisa dele?

A mocinha nem esperou a resposta:

— Se não leu, deveria ler. Tem livros ótimos. Aqui bem entre nós, alguns são meio complicados de ler, cheios de filosofia.

— Não me diga! — exclamou meu companheiro, fingindo interesse. — Então me conte quais são, assim eu começo pelos mais fáceis.

— Agora não dá. Daqui a pouco o prédio vai fechar. Vamos continuar a nossa visita, que é o mais importante.

Ah, se essa garota soubesse com quem estava falando!

MAIS HISTÓRIA DA ACADEMIA

Retomando o passo, continuou:

— O saguão conduz ao Salão Nobre, onde o acadêmico eleito vai tomar posse. Antes disso, porém, ele tem de penar um pouco: fica sozinho no Salão Francês para refletir. Com certeza, na passagem de seu estado mortal para o imortal.

Com um sorrisinho maroto, continuou a exposição:

— Em seguida, alguns acadêmicos da Casa o conduzem ao Salão Nobre, onde vai ser empossado. Não é fácil ser Imortal. Muita tradição, e, aqui entre nós, como diria Machado, muito fricote.

Meu amigo olhava para todos os lados, como se querendo vivenciar aquela última visita ao máximo.

— Nas solenidades, nossos acadêmicos usam um fardão, como é feito na Academia Francesa. Uma sobrecasaca verde-escura e folhas bordadas a ouro. Usam também chapéu de veludo negro com plumas brancas. Para completar, uma espada na cintura.

— Como guia da Casa, já assisti a mais de uma cerimônia de posse. Os acadêmicos ficam muito elegantes em suas roupas de gala. Pena que sejam todos, ou quase todos, bem velhinhos.

"Que mocinha mais atrevida!", pensei. Ocorreu-me uma pergunta:

— E as acadêmicas? Como se vestem nas sessões solenes?

Machado estacou e arregalou os olhos.

MULHERES NA ACADEMIA! COMO ASSIM?

Meu mestre continuava sem ação. Não estava entendendo nada. Até que falou:

— O quê? Há mulheres na Academia?! Não pode ser! Os estatutos o proíbem! Seguimos rigorosamente

o modelo da Academie Française, que vetava a participação feminina.

Ainda bem que na sua pressa em responder, a menina não notou que o mestre dissera"seguimos".

— Ora — replicou irônica a atrevidinha. A Academia Francesa é do tempo da onça, como diz a minha avó.

Machado falou em cima:

— Sim, de 1635. E o que tem isso a ver?

— Xiii, o senhor está por fora — falou a nossa amiguinha sabe-tudo. — A Academia deixou de ser machista. A nossa e a francesa. Depois dos primeiros 80 anos de existência, a instituição resolveu rediscutir a questão da mulher, e, assim, em 1977, a nossa grande escritora **RACHEL DE QUEIROZ** se tornou a primeira imortal.

— Não me diga! — exclamou Machadinho.

— E, depois dela, mais nove vieram a integrar o rol. Ah, e fique sabendo que a cadeira nº23, que pertenceu a Machado de Assis, já foi ocupada por uma mulher.

Meu mestre estava de queixo caído.

_Rachel de Queiroz (1910-2003) foi tradutora, romancista, escritora, jornalista, cronista prolífica e importante dramaturga brasileira. Autora de destaque na ficção social nordestina, foi a primeira mulher a ingressar na Academia Brasileira de Letras em 1977. Na foto, ela com a roupa usada nas solenidades pelos acadêmicos.

— Quem era ela? — quis saber.

— Zélia Gattai. Uma boa romancista, casada com Jorge Amado, grande nome de nossa Literatura que também ocupou a sua cadeira.

Aquela conversa entre os dois já estava me deixando aflita, com medo de que o mestre se traísse e deixasse escapar a sua real identidade. Então entrei no meio, decidida a mudar o assunto. Mas foi exatamente o que não fiz.

— Hoje em dia poderia ter sido eleita a ótima escritora Júlia Lopes de Almeida, que foi amiga de Machado de Assis, (dei uma piscadela para que o mestre não se revelasse), e tanto trabalhou para que a Academia fosse uma realidade. No entanto, por ser mulher, a sua candidatura foi barrada. Como prêmio de consolação, seu marido ocupou a cadeira que deveria ter pertencido a ela.

— Sim, sim, atalhou Machado. Foi eleito o Filinto de Almeida, o poeta português. Foi realmente uma injustiça. No entanto, era o regulamento. **DURA LEX, SED LEX.**

_Dura lex, sed lex
é uma expressão em latim cujo significado em português é "[a] lei [é] dura, porém [é a] lei". A expressão se refere à necessidade de se respeitar a lei em todos os casos, até mesmo naqueles em que ela é mais rígida e rigorosa.

Pelo sim, pelo não, dei-lhe uma cutucada na costela. Ele entendeu o recado e prosseguiu, sorridente:

— Que venham as Imortais, então! Sempre fui a favor das mulheres. É um elemento estético a ser acrescentado.

Nossa guia sorriu:

— Que fofo o seu amigo! — e virando-se para ele:

— Como o senhor se chama?

Ele procurou nos bolsos:

— Imperdoável. Não trouxe nenhum cartão de visita.

De novo interferi, apertando o antebraço do mestre.

— Já que você achou que ele se parece com Machado de Assis, que tal chamá-lo de Machadinho? Era como os amigos o chamavam.

— É. Pode ser.

Logo mudou o assunto:

— Não querem saber como as Imortais se vestem?

— Claro que sim! — respondemos quase ao mesmo tempo.

— Elas usam um vestido longo e reto, de tule, na mesma cor que o fardão dos homens e com as folhas bordadas em ouro. Bem bonito. Mas também são velhotas, as que ainda estão neste mundo... — e tomando a dianteira:

— Vamos andando, depressa, depressa!

A SALA DOS POETAS ROMÂNTICOS

Sem nos dar tempo de respirar, apontou para o lado esquerdo:

— Aqui, do lado oposto ao saguão, está a Sala dos Poetas Românticos: Álvares de Azevedo, Casimiro de Abreu, Fagundes Varela e Castro Alves.

— Grande amigo meu — disse Machado. — Logo que o conheci, vi nele o talento de um poeta nato.

— O quê? O senhor o conheceu?! – disse nossa guia, espantada.

Atalhei apressada:

— Meu amigo é brincalhão! Como haveria de tê-lo conhecido?

Nossa cicerone nem se perturbou:

— Estão imortalizados em bustos de bronze. Esta sala se abre para um lindo pátio, mas, a esta hora, as portas já foram fechadas. E ainda, aqui no térreo, a **SALA MACHADO DE ASSIS** e a Sala dos Fundadores.

Machadinho pensou alto:

— Uma sala só para Machado de Assis. Quem diria! — e, mudando de tom, perguntou:

— O que há nesta sala?

— Alguns objetos que pertenceram ao escritor: livros que fizeram parte de sua biblioteca, a escrivaninha de trabalho e um retrato a óleo feito por Henrique Bernardelli. É considerado o melhor quadro do pintor. Pena que as salas já estejam fechadas! Vocês vieram quase no horário de encerrar o expediente.

— Oh, como eu gostaria de rever estes itens de tantas lembranças!

Cutuquei meu mestre na costela, mas a guia tinha ouvidos atentos:

— Como assim, rever?... Estes bens fazem parte do acervo há muitos anos, desde que a herdeira os vendeu.

— Laurinha os vendeu...?!

_Exposição Cosme Velho

Aponte a camera do seu celular para o QR CODE e veja a Exposição "Cosme Velho, 18: Interiores" realizada no Espaço Machado de Assis da Academia Brasileira de Letras em 2001.

Dessa vez, cutuquei-o com mais força.

E a moça:

— Que Laurinha é essa?

A conversa estava cada vez mais complicada. Como íamos sair da enrascada sem dar na vista? Talvez o melhor fosse contar logo a verdade, mas para explicar tudo, passagem por passagem... De repente, uma ideia: o meu TCC.

— Sabe o que é? Estou trabalhando num projeto sobre Machado de Assis. Por sorte, eu conheci aqui o amigo no centro da cidade, onde ele ia fazer uma apresentação sobre o escritor. Daí a roupa e a maquilagem que o deixaram muito parecido com o próprio. Ele conhece bem a vida e a obra do Bruxo do Cosme Velho, graças às apresentações que faz em teatros importantes, não só do Rio, mas também em outras cidades. Então começamos a conversar e a caminhar, e a Academia estava nos meus planos...

Ela fez uma cara de descrédito.

— Hmm. Que história mais estranha! Você não disse que não era ator?

— Pois fique sabendo que tudo o que a minha amiga contou é a mais pura verdade.

Aproveitei a deixa.

— Vamos em frente? Senão não vai dar tempo mesmo!

— É verdade! — concordou a mocinha. — Na Sala dos Fundadores e na Sala Francisco Alves os acadêmicos fazem o lançamento de seus livros. As duas contam com obras de arte.

Machado puxou o relógio do bolso do colete.

— Desculpem, mas acho que não terei mais tempo de continuar a visita.

— Só mais um pouquinho, seu Machadinho. Só falta contar que no segundo andar fica a Biblioteca Acadêmica Lúcio de Mendonça, que foi o idealizador da Academia, a Sala de Sessões e o Salão de Chá. Os acadêmicos se reúnem todas as quintas-feiras para um lanche delicioso, que eu já tive a sorte de provar várias vezes. Depois que o garçom retira tudo, dou uma passada na cozinha e faço a festa.

Com um sorriso, se despediu:

— Bom, é isso aí, pessoal. Na próxima oportunidade venham mais cedo, para verem as salas abertas. É tudo muito lindo, vale a pena voltar.

Agradecemos nossa guia e fomos saindo daquele templo de sabedoria. Machado já se mostrava um pouco aflito. Será que os portões do céu se fechavam? Implorei:

— Fique mais um pouco, Mestre! Queria muito conversar sobre *Quincas Borba* e especialmente

Dom Casmurro, que, dentre todos os romances maravilhosos que o senhor escreveu, são os meus prediletos. Que personagens, que trama! Bentinho, Escobar, Capitu e...

Agora parecia mesmo que o mestre estava apressado. Não mais prestava atenção em mim. Seus olhos estavam no sol, que começava a se esconder.

— Tenho que ir, tenho que ir... Perdão, perdão!

Seus passinhos miúdos pareciam ganhar velocidade. Tentei acompanhá-lo.

— Mestre, só mais um minuto! Quero lhe dar meu endereço. O senhor mal sabe o meu nome...

— Adeus, minha amiga, obrigado pelo dia agradável que a sua companhia me proporcionou.

Sua voz foi soando cada vez mais distante.

— Adeus, *adieu*...

De repente, eu mal via a sombra do meu amigo. Não sei se foram os últimos raios de sol, mas ele parecia estar flutuando acima do chão, subindo mais e mais alto, como se fosse um balão.

Aflitíssima, ainda gritei:

— Mestre, Mestre, uma indagação que não me sai da cabeça. Afinal, Capitu traiu ou não traiu Bentinho?

Olhei para o céu, tinto de vermelho e ouro. Nada, nem mais um traço do Machadinho. Olhei em torno. Nada. Eu, diante do prédio da Academia Brasileira de Letras, sozinha num magnífico fim de tarde, gritava a plenos pulmões uma pergunta para… o nada.

EM CASA

Caí em mim. Eu estava fazendo um papel absurdo em plena Avenida Presidente Wilson. Machadinho tinha partido definitivamente. E eu já sentia saudades dele.

Só que não podia ficar sonhando com tudo o que vivera naquela tarde fantástica. Tinha muito trabalho pela frente. Peguei o primeiro táxi que passou e dei o endereço da minha prima. No caminho, tentei recordar ao máximo o que tinha visto e ouvido. Depois de enfrentarmos um congestionamento absurdo, acabamos chegando ao meu destino. Paguei o motorista sem esperar o troco, entrei esbaforida no prédio, bem diferente do meu modo habitual de ser. O porteiro ficou me olhando espantado, mas não havia tempo para explicações. Esperei impaciente o elevador, que não chegava. Entrei no apartamento da prima como um foguete, fui para o meu quarto, corri para a mesa onde estava o meu *notebook*. Respirei profundamente três vezes, como sempre faço quando quero obter foco. Quando senti que estava pronta, comecei a escrever, enquanto estava tudo fresco na memória. Digitei em caixa alta e em negrito o título que me veio à cabeça:

TRABALHO DE
CONCLUSÃO DE CURSO

PROJETO MACHADO DE ASSIS
E O RIO DE JANEIRO

TÍTULO:
MACHADINHO, UM VISITANTE
DO OUTRO MUNDO

FIM

PEQUENO DICIONÁRIO LIVRE
PARA AUXILIAR OS NOSSOS LEITORES

ABISMADO: surpreso.

ACADÊMICO: membro de uma academia.

ACERVO: bens que pertencem a uma entidade, por exemplo, a um museu.

ACHACADO: adoecido.

ACHAQUE: mal-estar ou doença sem gravidade.

ACOMETIDA: atingida por uma doença.

AGASTADO: enfraquecido, irritado.

ALCUNHA: apelido.

ALDEIA GLOBAL: o mundo ligado pela globalização.

ALMANAK LAEMMERT: primeiro almanaque publicado no Brasil, mais precisamente no Rio de Janeiro.

ÁLVARES DE AZEVEDO, CASIMIRO DE ABREU, FAGUNDES VARELA E CASTRO ALVES: poetas românticos. A Academia Brasileira de Letras tem uma sala dedicada a eles.

APROVEITAR A DEIXA: aproveitar um momento propício.

ART NOUVEAU: expressão em francês que significa "arte nova". Foi um estilo arquitetônico e decorativo muito apreciado entre o final do século XIX e início do século XX, inspirado nas linhas curvas e na forma de flores e plantas.

ARTEFATO (OU "ARTEFACTO", COMO SE FALAVA E ESCREVIA NOS TEMPOS DE MACHADO DE ASSIS): objeto.

ATEÍSMO: falta de crença na existência de Deus.

BABEL: algazarra, desordem.

BAÍA DA GUANABARA: uma das baías mais lindas do mundo, localizada na cidade do Rio de Janeiro.

BELLE ÉPOQUE: expressão francesa que, ao pé da letra, quer dizer "bela época". Refere-se a um período de cultura cosmopolita, de grande otimismo e paz, do final do século XIX até a eclosão da 1ª Guerra Mundial, em 1914.

BESTA: animal.

BEST-SELLERS: os livros mais vendidos.

BÓLIDOS: corpos em grande velocidade : meteoros, carros (figurado)Boquiaberto: de queixo caído.

BOTAFOGO: bairro do Rio de Janeiro.

CAIXA-ALTA: letra maiúscula.

CAIXEIRO: empregado que atende no balcão.

CAJADADA: paulada.

CALEÇA: carruagem de quatro rodas puxada por cavalo.

CALEÇA: carruagem puxada a cavalo, quatro rodas, mais espaçosa e confortável do que o tílburi, usada em viagens longas.

CÂMARA MUNICIPAL: lugar onde são feitas e votadas as leis de um município.

CARLOS DRUMMOND DE ANDRADE: poeta, contista e cronista mineiro, é considerado um dos maiores poetas brasileiros do século XX, senão o maior. Em 1958, escreveu o poema "A um Bruxo, com amor", em homenagem a cinquentenário de morte de Machado de Assis.

CARROS DE ALUGUEL: equivalentes aos atuais táxis.

CASA PASCOAL: confeitaria tradicional

CASA RAUNIER: tradicional casa comercial de elite no Rio de Janeiro, vendia roupas, roupas de baixo e tecidos.

CASMURRO: carrancudo

CASTELO DE VERSALHES: castelo real dos reis franceses, construído por ordem do rei Luís XIV, o Rei Sol. É um dos maiores castelos do mundo.

CAVANHAQUE: pequena barba bem aparada.

CHAMA BRUXULEANTE: chama trêmula.

CHARME-CHARME: elegância.

CICERONEAR: guiar, orientar (visitas, por exemplo, num museu).

CIDADE DO PORTO: uma linda cidade portuguesa.

COLÉGIO DAS MENEZES: colégio de crianças ricas, onde Machado de Assis vendia os doces feitos pela madrasta.

COM A BRECA!: expressão equivalente a "Puxa vida!".

COM OS DIABOS!: "Com a breca!", "Puxa vida!".

COMOÇÃO: abalo, emoção.

CONFEITARIA CARCELLER: fundada em 1824, era uma confeitaria tradicional do Rio de Janeiro. Foi o primeiro lugar da cidade a vender sorvetes.

CONFEITARIA COLOMBO: confeitaria tradicional do Rio de Janeiro, fundada em 1894 e ainda em funcionamento.

CORBEILLE: cesta (de flores, de frutas).

CORDA BAMBA: situação instável.

CORTEJO: comitiva.

DÉBÂCLE: desastre, fracasso.

DEJETO: lixo orgânico, fezes.

DESIGNATIVO: que designa, indica.

DOM PEDRO II: último imperador do Brasil.

EFÍGIE: imagem que representa uma pessoa.

ENCOMENDAR A ALMA: recomendar a alma de um moribundo a Deus, por meio de orações.

ENFASTIAR-SE: sentir tédio.

ENGENHOCA: máquina de funcionamento precário, frágil.

ENRASCADA: situação difícil.

ERÁRIO NACIONAL: Tesouro nacional.

ESTATUTOS: leis internas.

EXCÊNTRICO: diferente, extravagante.

EXITOSA: bem-sucedida.

EXPERT: especialista.

FASCÍNIO: encantamento.

FASHION: moda.

FEÉRICA: deslumbrante.

FERVILHAR: agitar.

FRIBURGO: cidade serrana situada no estado do Rio de Janeiro.

FRICOTE: manha

FRONTÃO: ornamento na fachada de um imóvel.

FRU-FRU: barulho de tecidos como a seda, quando roçam.

FUZUÊ: confusão.

GAZETEAR: matar aula.

GLAMOROSO: elegante.

GLOBALIZAÇÃO: ligação de economias e mercados entre vários países, acabando com as fronteiras comerciais.

GRAND FINALE: grande final; final apoteótico.

GRANDES NAVEGAÇÕES: viagens marítimas pelo globo terrestre em busca de novas rotas comerciais, iniciadas por Portugal no século XV e seguidas pela Espanha, Inglaterra e outros países europeus até o início do século XVII.

GRASSAR: multiplicar-se, espalhar-se.

GUERRA DO PARAGUAI: conflito armado, ocorrido entre dezembro de 1864 e março de 1870, travado entre o Paraguai e a Tríplice Aliança (Brasil, Argentina e Uruguai), que venceu a guerra.

ILUMINAÇÃO A GÁS: precedeu a iluminação elétrica.

IMPÉRIO: nação governada por um imperador.

INVOCAR AS MUSAS: pedir inspiração.

JEUNESSE DORÉE: ao pé da letra, quer dizer "juventude dourada", isto é, moças e rapazes ricos e belos.

LAMPIÃO A QUEROSENE: grande lanterna a querosene de luz fraca e oscilante.

LÁSTIMA: pena, dó.

LASTIMAR: ter dó, lamentar.

LAURA: sobrinha de Carolina, esposa de Machado de Assis e herdeira do escritor.

LAZARENTO: leproso.

LEI ÁUREA: lei assinada pela princesa Isabel em 13 de maio de 1888, que acabou com a escravidão no Brasil.

LEI DO VENTRE LIVRE: lei de 1871, assinada pela princesa Isabel, que concedeu alforria às crianças nascidas de mulheres escravas.

LEI DOS SEXAGENÁRIOS: lei de 1885, assinada por Dom Pedro II, que alforriou os escravos com 60 anos de idade ou mais.

LES DERNIERS CRIS: significa "os últimos gritos" e refere-se às últimas tendências da moda.

LUZ MORTIÇA: luz fraca.

MA CHÈRE: minha querida.

MAÇAR: aborrecer.

MACHISTA: indivíduo que só valoriza os homens.

MAGISTRADO: juízes.

MARECHAL FLORIANO PEIXOTO: segundo presidente do Brasil, conhecido como o Marechal de Ferro.

MATIZES: tons.

MELANCÓLICO: tristonho.

MERCADO EDITORIAL: conjunto de empresas (editoras, gráficas, livrarias etc.) que atuam na publicação e na venda de livros.

MEXERICOS: fofocas.

MON AMIE: minha amiga.

OBTER FOCO: concentrar-se.

ORATÓRIO: pequena capela.

ORBITAR: girar.

OXALÁ: tomara.

PANTAGRUEL: herói do primeiro romance de François Rabelais, *Os horríveis e apavorantes feitos e proezas do mui renomado Pantagruel, rei dos dipsodos, filho do grande gigante Gargântua*. Rabelais foi um escritor, médico, monge e humanista nascido na França em 1494.

PARADIGMA: modelo, regra.

PARBLEU: expressão de surpresa, equivale a "Céus!".

PARES: companheiros de uma mesma entidade.

PÉRIPLO: passeio longo.

PETIT TRIANON: local de lazer construído por ordem do rei Luís XV no interior do parque do Palácio de Versalhes.

PINCE-NEZ: óculos leves, sem hastes, que se fixavam no nariz.

PRIMA-DONAS: as principais cantoras numa ópera.

PRINCESA ISABEL: filha de Dom Pedro II

PUJANTE: forte, exuberante.

RACHEL DE QUEIROZ: escritora brasileira, primeira mulher a ser aceita na Academia Brasileira de Letras.

REALISMO: movimento literário surgido em reação aos excessos românticos. Sucedeu o Romantismo. No Brasil, teve início com *Memórias póstumas de Brás Cubas*.

RÉPLICA: cópia de uma obra de arte.

REPÚBLICA: forma de governo com poderes expressos na Constituição

REUNIÕES PRELIMINARES: reuniões iniciais.

RIXA: briga.

ROMANTISMO: movimento literário popular no século XIX.

SACOLEJAR: sacudir.

SANEAMENTO: medidas que visam preservar ou modificar as condições do meio ambiente, para prevenir doenças e melhorar a qualidade de vida.

SELFIE: foto tirada pela própria pessoa no celular.

SÓSIA: pessoa muito parecida com outra.

TAGARELAR: bater papo, conversar.

TCC: Trabalho de Conclusão de Curso, requisito para a conclusão de um curso universitário.

TÍLBURI: charrete de duas rodas e dois lugares, puxada por um cavalo.

TIPÓGRAFO: aquele que seleciona e monta os tipos para futura publicação impressa. aquele que compõe um texto de jornal ou de livro.

TOPOGRAFIA: descrição de um lugar.

TRAMWAY: bonde.

TRIBUNAL DE CONTAS DO MUNICÍPIO DO RIO DE JANEIRO: corte que examina e julga as contas do munícipio.

VANITY FAIR: revista inaugurada em 1868 na Grã-Bretanha, trazendo as últimas tendências da moda.

VORACIDADE: gula.

AMIGOS E PARENTES DE MACHADO

CAROLINA XAVIER DE NOVAIS: amada esposa de Machado de Assis.

CONDE E CONDESSA DE SÃO MAMEDE: padrinhos de casamento de Machado de Assis e Carolina.

DONA MARIA INÊS: madrasta de Machado de Assis, era uma doceira de mão cheia.

FAUSTINO NOVAES: poeta, amigo de Machado de Assis e irmão de Carolina.

FRANCISCO DE PAULA BRITO: tipógrafo e editor. Muito amigo de Machado de Assis, deu-lhe muitas oportunidades no início de sua carreira.

GALLOT: padeiro francês que ensinou a língua ao menino Machado de Assis.

LÚCIO DE MENDONÇA: escritor do grupo de intelectuais a que pertencia Machado e que deu a ideia de fundar uma Academia de Letras no Rio de Janeiro.

MARIA JOSÉ DE MENDONÇA BARROS: madrinha de Machado de Assis.

MARMOTA FLUMINENSE: jornal editado por Francisco de Paula Brito, no qual Machado publicava constantemente.

SOCIEDADE PETALÓGICA: o nome vem de "peta", que quer dizer "mentira". O objetivo dos integrantes era reunirem-se para estudar a mentira e, por meio da profunda observação desta, penetrar mais profundamente na alma humana.

Machado de Assis em fotos

Machado de Assis aos 25 anos.

Machado de Assis
aos 35 anos.

Machado de Assis aos 40 anos.

Machado de Assis aos 57 anos.

El consejo municipal al cual se debe gran parte de los adelantos edilicios de Río de Janeiro

Otro hombre descollante es el marqués de Paranhaguá, que preside la Sociedad de Geografía de Río de Janeiro, habiendo desempeñado hasta hace poco, la presidencia del Instituto Geográfico. Es un hombre de ciencia cuyo prestigio en el Brasil es muy grande.

La Academia de la Lengua Brasileira, tiene por presidente á uno de los más brillantes literatos, al señor Machado de Assis, cuyan novelas son bien populares. Una de las últimas, titulada «Casa Vieja», es una colección de bellos cuentos, que obtuvo un gran éxito en el Brasil y Portugal.

El doctor Frontín, iniciador de la Avenida Central, y el nuevo presidente de Ceará, son, asimismo, personalidades distinguidas.

El escritor Machado de Ass's, presidente de la Academia de la Lengua Brasileña

El ministro de industria, doctor Miguel Calmón, en el museo comercial

El doctor Frontín, iniciador de la Avenida Central, á su llegada de Europa, y los ministros doctores Miguel Calmón y David Campista y Tabares de Lyra en el palacio Monroe

El doctor Frontín, acaba de llegar de Europa. A su arribo, el pueblo de Río, le tributó una gran demostración de simpatía.

El doctor Frontín ha contribuído siempre con eficacia á los progresos edilicios de la hermosa ciudad carioca.

Machado de Assis, em foto de 1908, na revista argentina 'Caras y Caretas'

Machado de Assis
em 1904.

Machado de Assis tendo um ataque epilético em retrato de Augusto Malta de 1907.

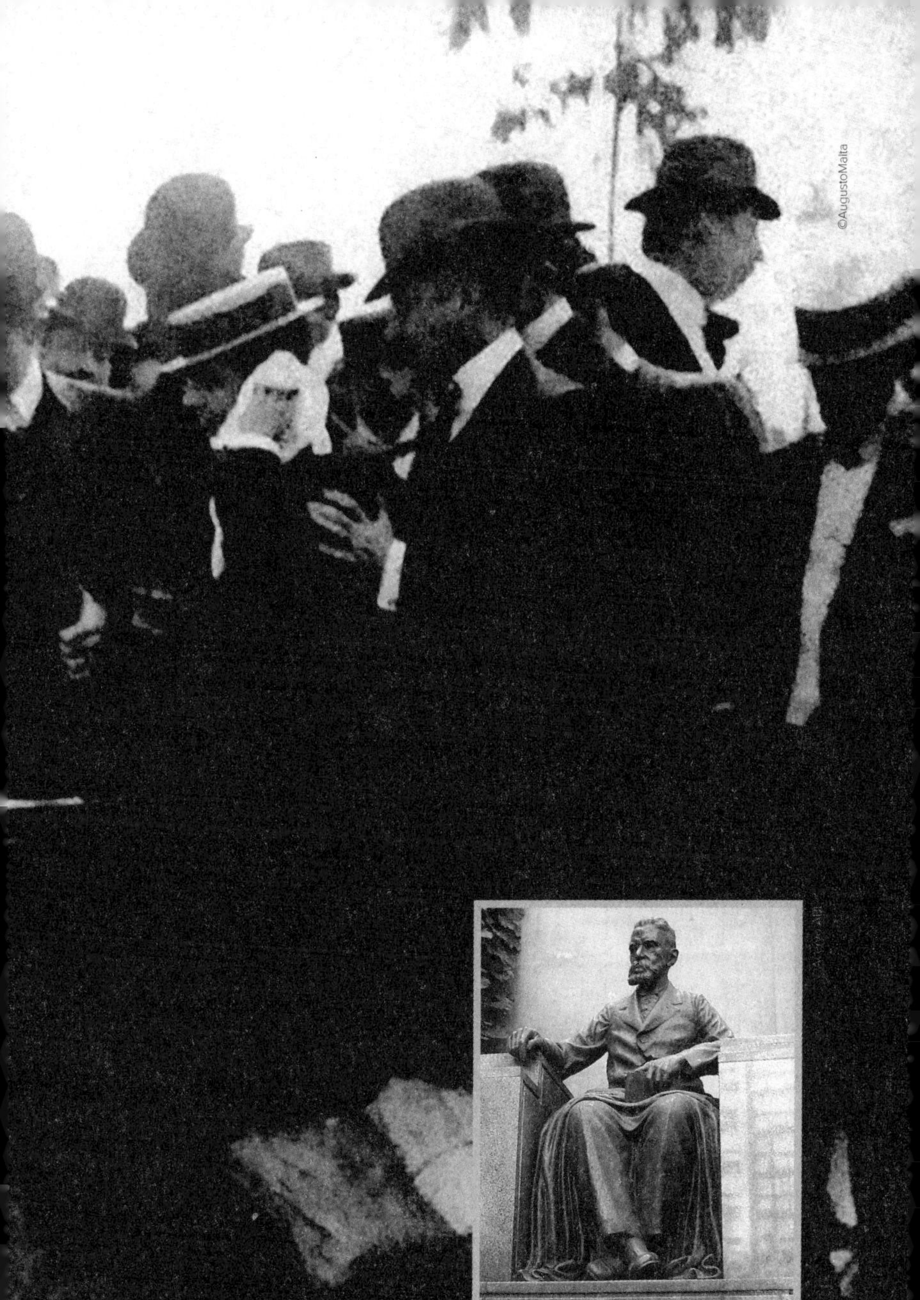

Machado de Assis eternizado em bronze em frente da Academia Brasileira de Letras

APERITIVOS

Os grandes romances de Machado de Assis são os da fase realista de sua produção literária, que vai de 1881 a 1908.

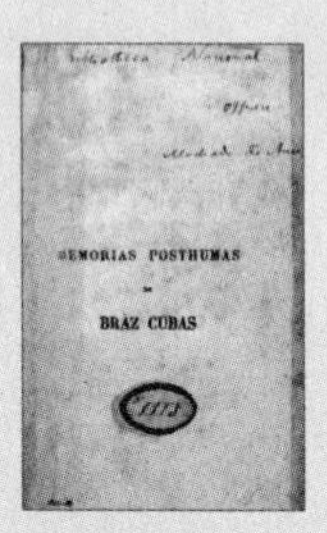

MEMORIAS POSTHUMAS
DE
BRAZ CUBAS

Volume dedicado pelo próprio autor à Fundação Biblioteca Nacional

MEMÓRIAS PÓSTUMAS DE BRÁS CUBAS (1881)

Um verdadeiro terremoto no mundo das letras — e com ele, nasce o realismo

*

Coisa de gênio: Machado inventa um narrador que já está morto e conta a sua história. O "defunto narrador" ironiza a si próprio enquanto conta suas peripécias e desilusões, de forma ora poética, ora cômica, ora como crítica da sociedade em que viveu. Em capítulos curtos nos quais ele conversa com o leitor, a história é contada de forma fragmentária, em um vai e vem de capítulos aos quais o "morto" nos remete, com muito humor e maestria.

Depois de seus quatro livros no estilo romântico, este aqui surpreende seus leitores e a crítica, sem aviso ou justificativa. Escrito em Nova Friburgo em 1880, para onde foi com Carolina para tratamento de saúde em suas primeiras férias, liberta-se do cânone que vigorava até então e escreve um romance totalmente livre de regras e de ideias. Irônico e pessimista, escrito "com a pena da galhofa e da melancolia", desde o início nos espanta com a dedicatória de Brás Cubas: "Ao verme que primeiro roeu as frias carnes do meu cadáver dedico como saudosa lembrança estas Memórias Póstumas".

Capa edição lançada em 1923 pela Editora Garnier

QUINCAS BORBA **(1891)**

"Ao vencido, ódio ou compaixão;
ao vencedor, as batatas."

*

Segunda obra realista de Machado de Assis, o autor faz a aproximação das duas, colocando a personagem-título como amigo de infância de Brás Cubas. Na verdade, o protagonista não é Quincas Borba e sim Rubião, herdeiro de Quincas, que, agora rico, sai de Barbacena e muda-se para a Corte.

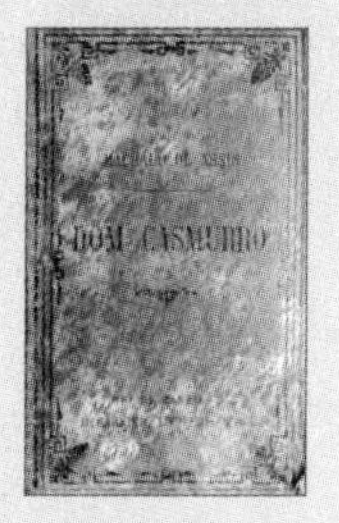

Capa da primeira edição
lançada pela Editora Garnier

DOM CASMURRO **(1899)**

Mais uma obra do gênio

*

O triângulo amoroso entre Bentinho, Capitu e Escobar até hoje não tem resposta. Afinal, Capitu traiu mesmo Bentinho ou era tudo fruto de um ciúme doentio? E você, leitor, qual a sua opinião?

Primeira edição lançada pela Editora Garnier

ESAÚ E JACÓ (1904)

Emancipação dos escravos e a transiçãodo Império para a República no Brasil

*

Esaú e Jacó: mais um grande romance realista de Machado de Assis. Os gêmeos, de personalidades tão diferentes, se apaixonam pela mesma mulher. Foi publicado em 1904, ano do falecimento de Carolina, que, no entanto, ainda teve ocasião de ler os originais. Machado faz uma alegoria irônica da passagem da Monarquia para a República e descreve o suntuoso "último baile da Ilha Fiscal", realizado quatro dias antes da Proclamação da República, para o qual algumas das personagens do livro tinham sido convidadas.

MEMORIAL DE AIRES (1908)

O último romance do mestre – o livro da saudade, escrito após a morte de Carolina

*

Devido à grande perda causada pela morte de sua amada, a saúde cada vez mais debilitada, as crises e ausências decorrentes da epilepsia, que voltara com mais força e a sensação de imensa solidão, ainda assim Machado escreve mais um romance no último ano de sua vida: O memorial de Aires, considerada uma obra do gênero autobiográfico. Não faltam no livro os temas dos contos e romances anteriores, como a frivolidade da elite da sociedade brasileira.

CONTOS SELECIONADOS

Os contos de Machado de Assis, assim como suas poesias, crônicas e romances, foram publicados em vários jornais e revistas da época, com os quais colaborou. Assim, 85 de seus contos foram publicados pelo *Jornal das Famílias*: 5 poemas e 85 contos, o que permitiu ao autor aperfeiçoar-se cada vez mais no gênero, do qual foi mestre. No total são 219 pedras preciosas. Recomendo alguns, se bem que é difícil escolher:

O caso da vara

"Damião fugiu do seminário às onze horas da manhã de uma sexta-feira de agosto. Não sei bem o ano; foi antes de 1850. Passados alguns minutos parou vexado; não contava com o efeito que produzia nos olhos da outra gente aquele seminarista que ia espantado, medroso, fugitivo."

Ideias de canário

"Um homem dado a estudos de ornitologia, por nome Macedo, referiu a alguns amigos um caso tão extraordinário, que ninguém lhe deu crédito. Alguns chegaram a supor que Macedo virou o juízo."

Papéis velhos

"Brotero é deputado. Entrou agora mesmo em casa, às duas horas da noite, agitado, sombrio, respondendo mal ao moleque, que lhe pergunta se quer isto ou aquilo, e ordenando-lhe, finalmente, que o deixe só."

Teoria do Medalhão (Diálogo)

"— Está com sono?
— Não senhor.
— Nem eu; conversaremos um pouco. Abre a janela. Que horas são?
— Onze.
— Saiu o último conviva do nosso modesto jantar. Com que, meu peralta, chegaste aos teus vinte e um anos. Há vinte e um anos, no dia 5 de agosto de 1859, vinhas tu à luz, um pirralho de nada, e estás um homem, longos bigodes, alguns namoros..."

Pai contra mãe

"A vida levou consigo ofícios e aparelhos, como terá sucedido a outras instituições sociais. Não cito alguns aparelhos senão por se ligarem a certo ofício. Um deles era o ferro ao pescoço, outro o ferro ao pé; havia também a máscara de folha de flandres. A máscara fazia perder o vício da embriaguez aos escravos, por lhes tapar a boca."

A Cartomante

"Hamlet observa a Horácio que há mais coisas no céu e na terra do que sonha a nossa filosofia. Era a mesma explicação que dava a bela Rita ao moço Camilo, numa sexta-feira de novembro de 1869, quando este ria dela, por ter ido na véspera consultar uma cartomante; a diferença é que o fazia por outras palavras."

Missa do Galo

"Nunca pude entender a conversação que tive com uma senhora, há muitos anos, contava eu dezessete, ela trinta. Era noite de Natal. Havendo ajustado com um vizinho irmos à missa do galo, preferi não dormir; combinei que eu iria acordá-lo à meia-noite."

Impressão e Acabamento | Gráfica Viena
Todo papel desta obra possui certificação FSC® do fabricante.
Produzido conforme melhores práticas de gestão ambiental (ISO 14001)
www.graficaviena.com.br